DU MÊME AUTEUR

Aux Éditions Gallimard

BILLE EN TÊTE, *roman* (Prix du Premier Roman 1986).

LE ZÈBRE

ALEXANDRE JARDIN

LE ZÈBRE

roman

GALLIMARD

À Hélène, bien sûr.
Pour qu'elle n'oublie jamais
de me faire l'amour.

I

Faites que la beauté reste,
que la jeunesse demeure,
que le cœur ne se puisse lasser
et vous reproduirez le ciel.

CHATEAUBRIAND

Gaspard Sauvage, dit le Zèbre, refusait de croire au déclin des passions. Il se sentait né pour aimer une femme, la sienne. Fraîchement bagué, il s'était juré que son mariage avec Camille ne ferait jamais naufrage, comme tant d'autres, usés par leurs années de lit à deux places.

Quinze ans après le carillon nuptial, ils n'avaient guère changé. Camille alliait toujours la beauté du diable à une sensualité frémissante, et le Zèbre n'était pas menacé d'embonpoint; mais force lui était de constater qu'ils s'ensablaient dans une torpeur matrimoniale voisine du sommeil. Le sacrement leur avait servi d'oreiller.

Camille s'était lancée dans la maternité à deux reprises et, du même coup, avait troqué son rôle de maîtresse légale pour celui, plus sage, de mère. Un jour chassant l'autre, la ferveur de leurs premières étreintes s'était muée insensiblement en une complicité de vieux époux. Leur couple n'était pas encore sinistré, mais l'habitude avait engourdi leurs corps. Ils ne faisaient plus l'amour qu'avec parcimonie.

Camille consacrait une part de son attention aux cours de mathématiques qu'elle assenait aux élèves du lycée de Laval et le reste de son temps à sa paire de rejetons. Natacha affichait maintenant sept printemps, et l'héritier taciturne, Paul dit la Tulipe en raison d'une crinière aux allures florales, traînait derrière lui treize ans de mauvaise humeur.

Malgré le tempérament saturnien et vindicatif de ce dernier, la tribu Sauvage coulait des jours paisibles aux environs de Laval, en Mayenne, au rythme des humeurs fantasques du Zèbre.

Bien que notaire, condition qui ne porte guère aux incongruités, Gaspard collectionnait les opinions particulières. Ce trait de caractère était à l'origine de son surnom, suggéré par Camille et ratifié par leurs amis. Tel son homonyme à pelage rayé, il se montrait indomptable. Ni les coups de règle à l'école, ni ses années d'études juridiques, ni le dressage du service militaire n'étaient parvenus à fléchir son naturel extravagant. Rétif à tout comportement grégaire, il était de ces irréguliers qui se méfient des idées de tout le monde, celles qui constituent le prêt-à-porter de la pensée.

Le Zèbre tenait les médecins diplômés en piètre estime, consultait lui-même ses urines à l'œil nu avec régularité et ne consentait à se laisser soigner que par son vétérinaire personnel, Honoré Vertuchou. Il procédait également, après chaque repas, au lavage de ses fosses nasales à l'aide d'une pipette de verre. Pour des raisons obscures, et jamais éclaircies, il attribuait de grandes vertus à la circulation d'eau dans l'organisme, qu'il fût rempli par le haut ou par le bas.

Son jeune et fidèle clerc, Grégoire de Saligny, était à l'époque la principale victime de cette conviction. Dès que le pauvre diable souffrait d'un mal de gorge, le Zèbre se mettait en tête de lui administrer un lavement. Conscient de ses droits, Grégoire invoquait la législation sociale ; mais comme il n'existe guère de jurisprudence en cette matière, il devait à chaque fois obtempérer. La seule grâce qu'il avait obtenue de haute lutte était de pouvoir s'infliger lui-même son traitement. Avec la morgue d'un vieux portrait de famille et une docilité revêche, il partait donc s'isoler dans son bureau, muni de l'appareil en caoutchouc et d'une carafe remplie à ras bord ; mais au lieu de s'enfiler les deux litres d'eau dans le rectum, il les buvait. Il en allait ainsi depuis fort longtemps. Le notaire se doutait de la duplicité de son clerc mais estimait avec sagesse que, puisque l'eau était absorbée, autant valait faire preuve de clémence et fermer les yeux.

Tout aurait été pour le mieux dans cet univers rempli de fantaisie si Gaspard avait su remédier à l'atonie des sentiments de Camille qui, d'une saison à l'autre, s'estompaient alors que les siens se raffermissaient depuis quelques mois.

Six mois auparavant, un soir bien arrosé, Camille avait tenté de jouer les passe-murailles au volant d'une automobile. Le Zèbre l'avait retrouvée scalpée, gisant dans un service d'urgences qui jouxtait une morgue. Sa femme était là, plongée dans le coma, déchiquetée et nue. Un infirmier l'emporta vers un bloc opératoire. Le notaire resta seul, avec sa nausée et son amour à vif. Les murs semblaient valser. Comme les heures s'écoulaient dans la salle d'attente, il eut bientôt l'impression que son pouls s'accélérait. Gaspard crut que ce phénomène s'expliquait par l'horreur de la situation ; mais il s'aperçut peu à peu que son cœur battait pour un autre motif qu'il eut du mal à s'avouer. Oui, il jouissait d'éprouver pour Camille une affection brûlante qui ne l'avait plus habité depuis quinze ans. La tragédie régénérait sa flamme. A la fois désarroyé et transpercé de plaisir, le Zèbre se sentait un acteur entrant en scène. Il vibrait de tout son être, comme si les événements avaient comblé en lui ce vide qui trop souvent lui donnait le vertige. Il reprenait soudain possession de lui-même.

Hélas, Camille se rétablit bien vite. Quatre mois de

convalescence suffirent. La grisaille du quotidien revint sur la pointe des pieds. Gaspard eut le sentiment de quitter les planches et de sombrer dans l'existence creuse des comédiens sans emploi.

Alors le Zèbre se concocta un drame intérieur. Il voulut se faire croire — et y parvint — que l'accident de Camille lui avait donné le sens de la brièveté et de la fragilité de la vie. Il s'imagina talonné par la mort et s'efforça de regarder sa femme comme si chaque jour devait être le dernier. Pour mieux s'en convaincre, il se mit à collectionner les preuves de l'existence de Camille. Ongles, cheveux, photographies, tout était stocké dans le plus grand secret; il espérait cependant que Camille allait découvrir la cachette et prendrait ainsi conscience de la violence de sa passion rénovée.

Ce qui n'était au début que faux-semblant devint rapidement authentique. Convaincu que la mort les guettait, le Zèbre nourrissait à présent un amour d'une intensité peu commune. Se glisser dans les eaux sales d'un bain dans lequel Camille venait de se laver lui procurait plus qu'une joie, un sentiment de communion. Il se complaisait dans l'idée que si le destin l'avait faite aveugle, il se serait crevé les yeux pour participer à ses ténèbres.

Mais Gaspard souffrait chaque jour davantage de la passivité de Camille; ou plutôt de ce qu'il regardait comme de la passivité. Il ne comprenait pas qu'elle n'eût pas besoin d'une ferveur de tous les instants. Elle l'aimait, certes, mais avec plus de douceur que de feu; et cette tendresse de vieux époux exaspérait Gaspard. Il n'aspirait qu'à retrouver la passion qu'il avait ressentie à l'hôpital, quand on brodait des cicatrices dans les chairs de Camille. Un drame, voilà ce qui leur faisait défaut pour ressusciter l'ardeur des premiers temps de leur liaison.

Ce matin-là, étendu aux côtés de la belle Camille endormie, le Zèbre était résolu à agir de manière radicale, à prendre le temps de court. Il ne le laisserait pas davantage saccager leur couple.

— Camille, murmura-t-il en la tirant de son sommeil.

— Oui, fit-elle en bâillant.

— Je vais te quitter.

Emergeant de ses rêves comme d'un bain chaud, elle s'étira avec volupté. Les premiers rayons du soleil coloraient les croisées de la véranda qui jouxtait leur chambre.

— Tu pars déjà à l'étude ?

— Non, je vous quitte, toi et les enfants, pour de bon.

Interloquée, Camille se redressa et ramena les couvertures à elle, comme pour mieux rassembler ses esprits.

— Tu es fou ?

— Non, j'ai simplement le courage d'accomplir ce que les autres hommes n'osent pas faire par lâcheté : quitter leur femme avant la débandade.

Sans se départir de son flegme, Gaspard saisit un bagage exténué par les ans et commença a y entasser ses effets personnels. Plongée dans une sorte d'hébétude, Camille le laissa s'emparer des pull-overs imprégnés de leurs odeurs mélangées. Il lui semblait qu'une part d'elle-même se glissait dans le sac du Zèbre, à son insu. Elle ne savait que dire. Le reflux soudain des sentiments du notaire tenait à ses yeux de l'énigme. Bien qu'ils se fussent opposés la veille sur les méthodes de pêche de Gaspard — qui immergeait des bâtons de dynamite dans les douves de la propriété —, rien dans un passé récent ne permettait de pronostiquer la liquidation de leur mariage. Sans sommation, il venait ni plus ni moins de lui faire sauter la cervelle dans la quiétude du petit matin.

— Camille, je te trouve étonnante, ajouta-t-il. Je ne pensais pas que tu supporterais l'épreuve aussi bien.

Elle prit alors brutalement conscience que le Zèbre allait sortir de son existence en même temps que de la chambre.

— Gaspard, tu ne peux pas partir comme ça, finit-elle par articuler.

— Pourquoi ?

— Que t'ai-je fait ?

— Tu m'as épousé, hélas. Le mariage d'amour est une foutaise ! Comment veux-tu maintenir une passion pendant cinquante ans ?

Des larmes vinrent aux yeux de Camille et des paroles de détresse se bousculèrent sur ses lèvres. Elle s'efforçait désespérément de faire voler en éclats la vitre sans tain qui soudain s'interposait entre eux. Les traits du Zèbre semblaient abriter l'âme d'un inconnu, claquemuré dans son indifférence. Impassible, il débarrassait méthodiquement les planches de son armoire, gommait toute trace de son passage dans cette maison. Au fond de son sac s'entassaient les vestiges de leur histoire : un parapluie acheté lors de leur unique et désastreux périple en Afrique, l'écharpe en cachemire qu'elle lui avait offerte, une guêpière en dentelle noire qu'il avait tenté de lui faire porter, à l'époque où les dessous affriolants l'émoustillaient. Il remballait même ses vieux fantasmes.

Une créature enchanteresse, de ces échassières toutes en jambes dont les battements de cils sont autant d'appels d'offre, avait dû l'embobiner, songea Camille avant de le soumettre au feu de ses questions.

— Hélas non, soupira le Zèbre harcelé.

Secouée par ses pleurs, Camille ne savait s'il était plus douloureux d'être abandonnée pour son manque d'attrait ou pour les yeux d'une rivale. Elle se heurtait dans ses pensées, se noyait dans un océan d'incompréhension. Son malheur se réfléchissait sur ses traits. La vie prenait soudain la physionomie d'un cauchemar. Envie de vomir, tentation d'en finir, de lui faire mal, désir de fuite, besoin d'arrêter de sentir.

Recroquevillée sur elle-même, Camille demeurait comme anéantie ; quand la main du Zèbre vint arpenter son dos et lui caresser la nuque.

— Ma chérie ne pleure pas, c'est fini. C'était un mauvais rêve.

Hagarde, elle souleva son visage humide et darda ses yeux clairs sur le Zèbre qui souriait.

— Tu m'as vraiment cru ? lui lança-t-il avec gaieté.

— Si je t'ai cru ? répéta-t-elle, effarée.

— J'ai fait semblant de te quitter !

Camille se redressa et, pour toute réplique, lui allongea un violent coup de genou au bas-ventre. Et le Zèbre de glapir.

— Qu'est-ce qui te prend ? lui lança-t-il replié sur lui-même.

— Est-ce que tu te rends compte du mal que tu m'as fait ?

— C'était le prix à payer.

— A payer pour quoi ? rétorqua-t-elle éberluée.

— Je voulais te priver d'oxygène pour te réapprendre à goûter l'air frais.

Emporté par son débit tumultueux, toujours plié en deux,

il lui annonça que son stratagème n'était qu'une préface à la cure de jouvence qu'il entendait faire subir à leur couple. Un grand ravalement en quelque sorte, bien nécessaire après quinze années d'anesthésie progressive de leurs désirs. Le Zèbre était décidé à délaisser son rôle de mari, au sens amorti du terme, pour se glisser dans la peau d'un amant légitime. Il traquerait désormais les imperceptibles habitudes qui émoussent les sentiments. Sa vigilance ne connaîtrait plus de jours fériés. A partir de cet instant, il ne cesserait d'ourdir des mises en scène, comme celle de ce matin, pour retendre le lien qui les unissait.

— Que t'est-il arrivé? finit-elle par murmurer.

— Il y a des conversions mystiques, pourquoi n'y aurait-il pas des conversions amoureuses? Camille, si je n'avais pas tiré la sonnette d'alarme, nous aurions fini comme tous ces ménages en trompe l'œil. Un jour ou l'autre, tu aurais dormi avec un autre et moi, bête comme je suis, j'aurais été braconner du petit gibier.

Au lieu de dériver vers ces liaisons clandestines, quasi inéluctables à l'entendre, le Zèbre lui proposait de mimer leur amour pour tenter de le faire renaître. Sincère, il prévint Camille qu'il n'aborderait pas cette lutte contre l'usure du temps avec une pince à sucre.

— Ça ne sera pas une sinécure! conclut-il, navré.

Encore ébranlée, Camille songea qu'elle ne s'était pas trompée en affublant Gaspard de son sobriquet. Il était assurément un drôle de Zèbre.

Elle ne soupçonnait pas encore la violence du typhon qui bientôt allait s'abattre sur son existence paisible et réglée de professeur de lycée.

Le Zèbre était résolu à tricher avec la réalité en jouant. Il redistribuerait ainsi les cartes à sa guise et s'efforcerait de barrer la route à la fatalité.

Aucun héros de roman, de cinéma ou de théâtre ne l'avait précédé sur le difficile chemin dans lequel il s'engageait. Roméo séduit une Juliette qu'il ne connaissait pas, Julien Sorel enflamme une inconnue qui portait déjà le nom de Monsieur de Rênal et Love Story reprend l'histoire d'un amour naissant. Tous se contentent de conquérir une femme qui surgit dans leur existence ; mais reconquérir la sienne après quinze ans de mariage ? Aucun séducteur imaginaire ne s'y risque. Et c'était bien là ce qui tourmentait le Zèbre ; car si Shakespeare, Stendhal et les plus grands auteurs se sont gardés d'aborder le thème de la reconquête, ce doit être parce qu'elle est impossible. Cette réflexion achevait de l'accabler ; mais il aimait Camille avec trop de passion pour renoncer à son dessein.

Seuls des procédés exceptionnels lui permettraient de réussir là où l'humanité ne connaît que le naufrage, pensait-il.

Le Zèbre avait vu juste. La débâcle guettait son couple. Si leur passion s'était assoupie, les sens de Camille, eux, restaient en éveil. Depuis deux mois, elle était en proie à des rêveries adultères. Son attirance pour celui qu'elle nommait l'Inconnu n'avait certes pas encore dépassé les frontières des songeries ; mais la lente maturation de son désir suivait son cours.

Au début, Camille n'avait guère accordé d'attention à ces lettres d'amour anonymes qui, tous les deux ou trois jours, venaient grossir son courrier ; puis, flattée, elle s'était mise à les relire, à s'en imprégner, à y repenser. Inquiète de la fascination qu'elles exerçaient sur elle, Camille s'était alors défendu d'y trouver du plaisir et, pour mieux se dégager de la séduction de l'Inconnu qui filtrait à travers sa prose, elle s'était décidée un soir à en lire quelques extraits au Zèbre qui, sans vergogne, stigmatisa la niaiserie de l'écrivassier sans visage. Heurtée, Camille s'était bien gardée de lui montrer les missives qu'elle avait reçues par la suite. Elle franchissait déjà le pas qui mène vers la clandestinité amoureuse, d'autant plus facilement qu'elle n'y voyait aucun péril.

Chaque matin, elle se précipitait vers la boîte aux lettres dès que retentissait la sonnette du facteur cycliste et, quand elle reconnaissait la graphie de l'Inconnu, elle allait en catimini s'isoler dans les écuries Louis XV de la maison pour ouvrir l'enveloppe. Parfois, elle était vide. Elle n'en attendait la prochaine qu'avec plus de ferveur. Toutes étaient frappées du cachet de la poste centrale de Laval. Nul autre indice n'avait permis jusqu'à présent à Camille d'identifier l'épistolier. Ses pattes de mouche ne lui étaient pas familières et il paraissait être partout, jusque dans ses pensées les plus intimes, sans jamais pouvoir être rattaché à aucun lieu.

Camille eut beau passer en revue toutes les écritures qu'elle connaissait, elle ne parvenait pas à fixer ses soupçons. L'Inconnu demeurait insaisissable. Telle de ses remarques avait la fraîcheur de l'adolescence, une autre le bouquet de l'expérience. A chaque fois qu'elle le lisait, une douce volupté descendait dans son âme.

Dans ses lettres, il lui prêtait une existence intense. Il la magnifiait, relevait ses moindres qualités. Ce que Camille eût naguère jugé exagéré, elle le prenait désormais pour argent comptant et, par comparaison, trouvait le Zèbre bien aveugle de ne pas avoir déjà décelé tant de merveilles dans son caractère. Au fil des épîtres, l'Inconnu était devenu une caisse de résonance qui lui renvoyait l'écho de ses propres goûts. Camille se sentait pénétrée de sa pensée, éclairée par son regard. Elle épousait pleinement sa vision vivifiante du quotidien qui tranchait avec l'incessant persiflage du notaire. L'Inconnu, lui, ne se gaussait pas de tout, et surtout pas d'elle; et contrairement à son mari, il l'éblouissait au lieu de s'évertuer à lui plaire.

Mais à la lumière des récentes déclarations d'intention de Gaspard, Camille se demandait si elle n'avait pas été dupée et si l'Inconnu n'était pas tout bonnement son vieux Zèbre. Quelles que fussent les différences qui séparaient leurs deux caractères, elle ne pouvait exclure cette éventualité. S'il avait été capable de feindre de la quitter, il pouvait tout aussi bien avoir manigancé le stratagème des lettres pour réveiller leur passion.

Camille rechignait cependant à croire que les pages de l'Inconnu avaient été écrites par le Zèbre ; car contrairement à l'Inconnu, Gaspard lui parlait peu d'elle. Il se gardait de la rassurer sur ses facultés, oubliait la date de son anniversaire, ne la complimentait jamais pour ses efforts vestimentaires. A peine remarquait-il ses changements de coiffure. Il n'était pas curieux de ses désirs, ne voulait rien pour elle, ne l'initiait à aucune de ses passions. Il se contentait de la croire heureuse.

L'Inconnu, lui, devinait ses troubles, s'inquiétait de ses envies. Et puis, il était sensible à l'intensité des instants immobiles. Ses lettres en témoignaient. Il savait laisser infuser une impression, goûter l'harmonie d'un jardin, se régaler d'une ambiance ; alors que le Zèbre était aveugle à ce que l'on ne perçoit que lorsqu'on fait silence en soi. Gaspard ne prisait que les élans, les rugissements de plaisir, les extases violentes.

Mais Camille ne pouvait écarter le projet du Zèbre. Il avait été clair ; et se faire aimer sous des traits anonymes était une manière de la conquérir une seconde fois.

Peut-être avait-il pillé des textes d'auteurs inspirés pour composer les missives de l'Inconnu. Elle se souvint d'avoir connu sur les bancs de la faculté une étudiante qui s'était aperçue un jour que les lettres époustouflantes de son amant étaient directement tirées de la correspondance de Kafka à Milena. Le brave garçon les recopiait avec application, dévalisant le Praguois sans déplacer une virgule. Le notaire pouvait en avoir fait tout autant avec un autre homme de lettres, en travestissant son écriture.

Dans l'esprit de Camille, le Zèbre était désormais le premier suspect; mais le surlendemain de son faux départ, elle le conduisit au train pour Toulouse où il devait assister comme prévu à un congrès de notaires pendant une semaine; ce qui n'empêcha pas les lettres de l'Inconnu de continuer d'affluer. La cadence augmenta même. Chaque tournée du facteur apportait sa moisson. Les enveloppes étaient toutes timbrées de la poste centrale de Laval. Ripaillant à Toulouse avec ses confrères, le Zèbre n'avait donc pu poster ce courrier; sauf s'il en avait confié le soin à quelqu'un d'autre. Les derniers soupçons de Camille furent balayés lorsqu'elle reçut une lettre de l'Inconnu évoquant la robe cintrée qu'elle avait portée le jour précédent. Or, à moins d'être doué du don d'ubiquité, le notaire n'était pas en mesure de connaître sa mise puisque cet après-midi-là, il se trouvait encore dans la ville rose. Pour s'en assurer, elle l'appela à son hôtel sous un prétexte anodin.

A vrai dire, Camille n'était pas fâchée que l'Inconnu ne fût pas son mari. Elle pourrait ainsi continuer à se griser de rêveries sentimentales, sinon grivoises. Elle avait contracté cette manie à l'orée de son adolescence en se nourrissant de romans d'amour du XIXe siècle et, depuis, la province aidant et les années filant, elle cédait de plus en plus souvent à cette douce pente. Naturellement, en public, une amnésie bien commode et très momentanée lui permettait d'affirmer toujours avec vigueur que le romantisme des lectrices du courrier du cœur, elle n'en croquait pas. Ses diplômes étaient là pour attester son statut de femme pensante, comme il faut, au-dessus de ces sensibleries, payant des impôts, et tout et tout.

Dès son retour de Toulouse, Gaspard informa Camille que la reconquête de leur passion allait véritablement débuter. Il se sentait prêt à jeter de l'huile sur leur flamme. Aussi fut-elle assaillie d'une nuée de scrupules quand, assise dans l'écurie Louis XV, elle s'avisa de décacheter un pli frappé du cachet de la poste centrale.

Tromper le Zèbre en continuant à se délecter des roucoulements manuscrits de l'Inconnu équivalait désormais à trahir ses efforts. Camille n'eut pas ce cynisme. Elle décida de conserver l'enveloppe pliée dans la poche intérieure de son tailleur; mais à peine se redressa-t-elle qu'une ombre jaillit de l'une des stalles et la bascula dans la paille. Elle n'eut que le temps d'étouffer un cri. Le Zèbre la chevauchait déjà, une main plongée dans son corsage et l'autre sous sa jupe, posée sur le haut de sa cuisse gauche.

— Tu m'as fait peur, souffla-t-elle.

— Camille, depuis quand n'avons-nous pas fait l'amour au dépourvu?

— Gaspard, j'ai des élèves qui m'attendent, au lycée.

— Et alors? Tu arriveras en retard et tu leur diras : j'ai copulé comme une folle avec l'homme de ma vie, dans une étable! Tu verras, ils te trouveront tout de suite plus vivante, ajouta-t-il en gobant son lobe droit.

Mais Camille ne l'entendait pas de cette oreille. Elle n'avait jamais raffolé des étreintes à la hussarde, bâclées le dos dans la paille. Elle prisait les liturgies érotiques et, dans le fond de son âme d'ancienne élève des Sœurs, ne trouvait pas très convenable que la lettre transie d'amour de l'Inconnu fût serrée entre sa poitrine et celle du Zèbre. Prétextant la rigueur des horaires du lycée, elle se dégagea, parvint à se rétablir et voulut s'éclipser ; mais le Zèbre, bien que refroidi, la rattrapa.

— Que faisais-tu là ?
— Je cherchais une bague.
— Notre alliance ? balbutia-t-il, la gorge soudain sèche.
— Non, la petite émeraude que ton frère m'avait offerte.
— Ah... tu l'as retrouvée ?
— Non.

Dédouanée, Camille fila dans leur chambre et s'empressa de mettre la main sur sa bague d'émeraude qu'elle précipita dans la cuvette des toilettes. La chasse tirée, elle put enfin retrouver l'usage de ses poumons. Son mensonge avait l'air d'une vérité.

Puis elle appareilla dans sa vieille automobile et, au sortir de leur propriété, aperçut le Zèbre qui, sur le perron, lui envoyait sans rancune un dernier baiser.

Resté seul, Gaspard frissonna. Lorsque Camille partait, il s'efforçait d'éprouver un affreux désarroi en se laissant gagner par l'idée qu'il la voyait peut-être pour la dernière fois. Ce sentiment attisait sa flamme et il retrouvait cette passion qui l'avait consumé six mois auparavant, quand il arpentait la salle d'attente de l'hôpital ; bien qu'il fût tourmenté par une interrogation. Il se demandait si cette manœuvre intime n'était pas la preuve de la fausseté de ses sentiments. Pourtant, il désirait sa femme comme certains guignent celle des autres. Mais il ne ressentait son amour que lorsqu'il le jouait. Dieu qu'il haïssait les hasards qui composent le quotidien ! S'il n'avait tenu qu'à lui de recréer le monde, il l'aurait fait de carton-pâte, de la matière dont sont réalisés les décors, pour qu'on pût y mener une existence théâtrale où, comme dans les grandes tragédies, chaque instant serait conçu pour captiver le public et faire vibrer les comédiens.

Spectateur et acteur, le Zèbre était déterminé à devenir le dramatique auteur de sa vie conjugale. Toutes affaires cessantes, il retourna dans leur chambre. Ses clients pouvaient bien attendre ; ils n'étaient plus que des silhouettes dans son existence. Quant à son étude, ce n'était qu'un décor très secondaire.

Dans un panier de linge à laver, il trouva un chemisier et des bas de Camille. Longtemps, il respira ces vêtements, le visage perdu dans leurs replis ; puis il les baisa fébrilement en mouillant ses paupières de larmes qui devinrent sincères. Il se remémorait le soir de l'accident. Elle l'avait quitté pour partager un repas festif avec ses collègues. Il aurait dû l'embrasser mille fois avant son départ. Gaspard songea — presque naturellement — qu'aujourd'hui encore tout pouvait survenir : la mort, un homme qui s'emparerait du cœur de Camille ou d'autres cataclysmes du même ordre. Il regretta de ne pas l'avoir retenue mais se reprit et pensa que la séquestration était une méthode bien vaine ; car en mettant fin à ses tourments, il cesserait du même coup de stimuler sa passion.

Sur la table de nuit de Camille, Gaspard trouva un roman. Elle relisait à l'époque Le Rouge et le Noir. Des pages étaient cornées, des phrases soulignées au crayon à papier. Il les parcourut et, par ce biais, pénétra dans les arcanes du cœur de Camille. Les mots de Stendhal lui restituaient ses troubles, ses émois, ses déceptions, ses espérances. Gaspard avait le sentiment de lire à livre ouvert dans l'âme de son épouse. Ah, mais pourquoi une femme aussi passionnée ne lui témoignait-elle qu'une douce amitié ? Il n'avait que faire de sa tendresse.

Lui aussi rêvait des célestes transports dans lesquels se pâme Madame de Rênal. Il devait être possible de rétablir un commerce aussi enivrant avec Camille. « Impossible n'est pas français, surtout en amour ! » clama-t-il avec grandiloquence, sans prendre conscience de son ridicule.

La petite voiture de Camille sortit du bourg de Sancy où s'élevait leur extravagante demeure, bâtie par un original du XVIIIe siècle qui répondait au curieux patronyme d'Ortolan, d'où le nom de « Maison des Mirobolants », produit des gosiers locaux qui, au fil des générations, déformèrent le nom initial. Elle laissa donc la bourgade de Sancy derrière elle et prit la direction de Laval. Onze kilomètres seulement la séparaient du lycée Ambroise Paré où elle professait.

Camille dépassa la masure des Claque-Mâchoires, un couple de retraités hargneux et dévots ainsi surnommés par le Zèbre en raison du claquement lugubre qu'étaient censés produire leurs dentiers quand ils médisaient. Aux dires du notaire, ils avaient des gueules de faux témoins et n'étaient pas de ces paroissiens aux allusions prudentes qui dosent leur venin. L'un comme l'autre broyaient leur lot de calomnies chaque jour, comme pour purger leur fiel. Délateurs zélés sous Vichy, ils s'étaient empressés à la Libération de raser les « chiennes » qui avaient péché avec l'occupant.

Les mains rivées au volant, Camille s'efforçait de fixer son attention sur la route pour ne pas penser à l'enveloppe de l'Inconnu. Le désir lancinant de l'ouvrir la taraudait. Au premier feu rouge, elle surprit sa main droite sur le point de s'en saisir. Elle se reprit et commença à établir la liste de toutes les bonnes raisons qu'elle avait de s'interdire ce plaisir ; puis, après délibération, elle admit que, cachetée, cette lettre bénéficiait de l'attrait du mystère, alors qu'une fois lue, elle n'offrirait plus guère d'intérêt. Pour hypocrite qu'il était, l'alibi avait le mérite d'être logique.

Elle se gara fébrilement devant le lycée, coupa le contact et, après avoir respiré l'enveloppe, fit sauter les points de colle avant de poser ses lèvres là où l'Inconnu avait dû humecter les rebords ; puis elle se plongea dans sa lecture.

Les premiers mots semblaient chuchotés, tant ils étaient tendres. Mais les lignes suivantes la jetèrent dans le trouble.

L'Inconnu lui notifiait un rendez-vous, le soir même devant l'Hôtel de Ville. L'abstinence, disait-il, lui pesait trop. L'impatience de ses sens exigeait qu'il fût fixé sur le devenir de ce qu'il appelait déjà « leur relation ».

Cette brusque irruption de la peau dans leur correspondance à sens unique perturba Camille. Elle était révoltée qu'il se permît de mêler ses appétits charnels, d'une affligeante banalité, aux sentiments torrides mais aériens dont il avait fait montre jusque-là. Avec effroi, elle prenait physiquement conscience — un frisson parcourut sa colonne vertébrale — que ses rêveries risquaient de la mener, tôt ou tard, sur le bidet d'une salle de bains d'hôtel.

Camille en voulut à l'Inconnu. Il aurait dû saisir de son propre chef que, pour une part, le sel de ses lettres résidait dans leur anonymat. Ainsi, chaque homme qui la frôlait au lycée, dans la rue ou chez des amis pouvait être lui. Les regards des jeunes gens, surtout, avaient le pouvoir d'accélérer son pouls ; car dans son idée, l'Inconnu était un garçon récemment sorti des jupes de sa mère. Elle imaginait un puceau, ou guère plus dégourdi, se dissimulant derrière des lettres, par crainte que son apparence de freluquet ne jouât en sa défaveur. Naturellement, Camille avait toujours exclu qu il pût être octogénaire, bancal et ventripotent. A ses yeux, la jaillissante fraîcheur des lettres était, à n'en pas douter, la marque d'une authentique jeunesse. Mais maintenant que l'Inconnu voulait dévoiler son visage, elle redoutait soudain de s'être trop nourrie d'illusions. Non seulement le Prince charmant pouvait se révéler un vétéran hors d'usage, décalcifié et édenté ; mais le stratagème des lettres pouvait tout aussi bien avoir été employé par un grand brûlé ou par un être génétiquement déshérité, désireux de masquer sa détresse physique ; et quand bien même eût-il été vert et conforme à la physiologie du commun des mortels, il pouvait être laid à frémir ; et surtout, Camille n'avait aucune intention d'entamer une liaison clandestine. La seule idée des complications afférentes à une telle affaire lui faisait horreur. Continuer à se griser de rêveries la tentait davantage ; aussi préféra-t-elle se souvenir qu'un dîner chez des collègues la retenait pour la soirée. Elle n'irait donc pas au rendez-vous.

Résolue, Camille sortit de son automobile et se rendit en classe où, sous l'œil vigilant et pénétrant d'une nouvelle recrue, Benjamin Raterie, elle infligea trois heures de cours de mathématiques à ses élèves.

Arrivé en cours d'année, Benjamin était, malgré ses dix-huit ans, de ces êtres qui, sans parler, exigent de vous le meilleur. Depuis qu'il siégeait devant elle trois fois par semaine, Camille se sentait comme dans l'obligation de lui plaire. Chacun de ses regards semblait lui dire : « Etonne-moi. » Il n'était pas beau mais l'intensité de son visage, sa grâce rieuse de jeune faune et la vitalité de son corps gorgé de sève plaidaient en sa faveur.

Lorsque la grande aiguille de l'horloge eut terminé sa course circulaire et quand tout le monde eut rendu sa copie, Camille ne put s'empêcher de comparer le tracé de son écriture avec celui de l'Inconnu. La calligraphie offrait quelques points communs mais la pression imprimée à la plume n'était pas la même · à moins que Benjamin, par souci de préserver son anonymat, n'eût moins pesé sur son stylo pour écrire les lettres. Camille ne savait plus si la paisible séduction du jeune homme lui faisait relever des similitudes là où il n'y en avait pas ou si les deux documents pouvaient effectivement avoir été rédigés par la même main.

En regagnant sa voiture, encore pleine de la présence de Benjamin, elle nota qu'il était entré au lycée peu avant la date où l'Inconnu avait commencé à prendre la plume ; puis elle fit ronronner son moteur et mit le cap sur la Maison de Mirobolants. Mais, comme si ses mains avaient été dotées d'une volonté propre, elle vira sur la droite au premier carrefour. Un désir irrépressible lui commandait de faire un détour par la place où l'Inconnu viendrait à vingt et une heures l'attendre en vain.

Elle rangea son auto devant l'Hôtel de Ville et, sans abandonner son siège, contempla les lieux de leur futur rendez-vous manqué. Une collection d'alibis familiaux défila dans son esprit pour justifier sa frousse d'affronter sa passion naissante. Elle restait, impassible devant le décor dans lequel elle n'oserait entrer en scène, à l'heure où les trois coups retentiraient. Elle préférait demeurer en retrait, assise dans sa loge, se rêver maîtresse tout en respectant frileusement le serment nuptial qui l'unissait au Zèbre.

Camille ferma les yeux et écouta le fond sonore de ce qu'aurait dû être sa rencontre avec l'Inconnu ; car déjà sa décision était irrévocable. Le ronflement des autobus, l'assourdissant raffut de la rue et les voix des passants venaient se mêler aux images qu'elle suscitait dans son esprit, faisant mentalement surgir l'instant où, comme il le prophétisait dans sa lettre, il viendrait s'asseoir à ses côtés, dans la voiture. Mais, saisie par l'inquiétude, elle refit surface et vérifia à l'horloge de la mairie que trois bonnes heures la séparaient bien du rendez-vous.

Rassurée, elle reprit le fil de sa projection intérieure, sans toutefois parvenir à préciser les traits de l'Inconnu. Elle vivait tout haut, à mille pulsations cardiaques minute. Perfectionniste, elle tripota son autoradio à tâtons et capta une station qui débitait des rasades de violons. Ses émotions prirent de l'altitude, lorsque soudain elle entendit grincer la charnière de la portière avant. Une présence se glissa subrepticement à sa droite

Il venait de pénétrer dans la voiture. Feignant d'être perdue dans ses songes, Camille conserva les yeux clos et s'efforça de maîtriser sa respiration. Les lèvres de l'Inconnu s'approchèrent de son visage et frôlèrent les siennes. Tout en elle refusait ce baiser. Elle ne voulait pas tromper le Zèbre alors même qu'il tentait de ressusciter leur passion. Aussi détourna-t-elle brutalement son profil et, d'un coup de reins, fut hors de la voiture sans avoir aperçu la figure de l'Inconnu. Le mystère restait intact. Haletante, elle traversa en vitesse la chaussée, en direction de la mairie ; mais la voix du Zèbre l'arrêta :

— Camille, où vas-tu ?

Elle fit volte-face. Le soi-disant Inconnu n'était autre que le notaire, vautré sur la banquette avant. Elle revint sur ses pas et allégua qu'elle avait cru avoir affaire à un dragueur venu la déranger alors qu'elle se remettait d'un mal de tête ; ce qui fit sourire le Zèbre.

— C'était trop tentant... quand je t'ai vue les yeux fermés, en train d'écouter de la musique, j'ai voulu te faire une surprise ! Ma voiture est en panne à l'Etude, peux-tu me ramener à la maison ?

Sur la route, Camille réitéra l'invitation à dîner de ses

36

collègues; mais le Zèbre la déclina à nouveau. Elle s'y rendrait seule. Il regardait déjà son mariage avec une salariée de l'Education nationale comme une collaboration avec l'ennemi et ne voulait à aucun prix se fourvoyer davantage en frayant avec des professeurs, qu'ils fussent à la solde d'établissements publics ou stipendiés par des institutions privées. Le Zèbre tenait l'Ecole, dans son ensemble, pour responsable d'un vaste complot destiné à ruiner dans l'œuf la fantaisie des citoyens. Il était persuadé que dans un monde déscolarisé la couleur grise serait illicite, les billets de banque arboreraient des effigies souriantes et l'Etat, enfin régénéré, aurait pour fonction essentielle de fesser les cuistres. Mais le Zèbre n'avait rien d'un utopiste. Il savait qu'hélas plus d'une génération courberait encore l'échine sur des pupitres, avant le démantèlement intégral du système éducatif.

Il avait bien essayé de soustraire ses enfants à la Pieuvre — c'est ainsi qu'il nommait l'Education nationale — mais en vain; il avait dû s'incliner devant Camille qui exigeait, pensait-il, un lavage de cerveau laïc et obligatoire pour leurs petits. Apprendre à lire et à écrire lui paraissait superflu. Il préférait que la Tulipe sût manier le ciseau à bois et le maillet pour construire, dans leur atelier, des machines à fumer en châtaignier qui le dispenseraient de s'encrasser les bronches. Quant à Natacha, il encourageait ses tentatives d'élevage d'écrevisses dans l'eau claire du ruisseau qui irriguait leur jardin. Pour ce qui était de l'Histoire, il se chargeait lui-même de les informer que, contrairement à ce qui s'est longtemps dit, César et Antoine étaient tous deux de solides sodomites ; ce qui prouve que Cléopâtre avait un nez trop long.

Les extravagances qu'il proférait étaient destinées à semer le trouble dans leur esprit, à les immuniser contre les idées rances dont les abreuveraient les manuels scolaires. C'est ainsi que Natacha tint un jour tête à sa maîtresse en affirmant que la bataille de Waterloo était une victoire. « La preuve, avait-elle postillonné, y a une gare à Londres qui s'appelle Waterloo-Station. »

Le Zèbre se refusait donc à aller trinquer en compagnie de Camille, avec des suppôts de la Pieuvre. Elle n'insista pas. En revanche, il s'évertua à lui faire lâcher son carton d'invitation. Il haïssait qu'elle allât se trémousser seule devant d'autres hommes, comme si elle était libre. Cette idée lui donnait de l'urticaire. Mais Camille tint bon. Devant son obstination, Gaspard lui fit alors miroiter un festin diététique aux chandelles. Malgré son penchant pour la cuisine légère, Camille ne se laissa pas tenter. Elle le déposa chez Alphonse et fila se poudrer le nez.

Alphonse vivait, dormait et travaillait avec sa femme Marie-Louise dans la ferme qui jouxtait la Maison des Mirobolants. Agriculteurs, ils n'étaient ni l'un ni l'autre affectés par cette torpeur rustique qu'on observe souvent chez ceux qui n'ont que la terre pour patrie.

Dans son potager, Marie-Louise cultivait divers légumes qu'elle n'appréciait pas, pour les donner. Elle vivait les mains ouvertes.

Alphonse, lui, raffolait du Zèbre en silence. Vingt siècles de non-dit paysan serraient sa gorge. Une fois, il avait tenté d'avouer son amitié au notaire. Les mots lui avaient fait défaut Confusément, il avait senti que son vocabulaire du dimanche, qu'il sortait pour les grandes émotions, allait fausser sa sincérité. Alors il s'était tu.

Le Zèbre et lui communiaient à travers leurs beuveries homériques et les projets les plus farfelus qu'ils caressaient ensemble. Alphonse n'avait pas le vin mesquin. Quand il avait fait le plein, il vadrouillait dans des contrées que même Christophe Colomb n'aurait pu inventer. Il chantait l'Asie, qu'il se figurait comme une Normandie infestée d'éléphants et plantée de bambous, faisait disparaître des avions dans le delta du Nil et surgir des pyramides dans le triangle des Bermudes. Emerveillé, le Zèbre montait sur le marchepied et, après avoir mis la main au cul de plus d'une bouteille, prenait lui aussi de l'altitude, tirait la barbiche du Bon Dieu, apostrophait les anges et tutoyait les autres créatures célestes, avant d'atterrir sur les continents d'Alphonse. Ces mystiques de la barrique, plutôt sobres au quotidien, avaient leurs petites obsessions. Les soirs où ils invoquaient Bacchus, ils se juraient qu'ils iraient un jour couper les couilles du Claque-Mâchoires mâle avec des pinces minuscules ; car, selon la rumeur, l'intéressé était doté de parties lilliputiennes qui ne lui permettaient pas d'honorer convenablement sa compagne. Cette idée leur semblait particulièrement récréative.

Mais pour le moment, une autre tâche soudait les deux amis. Ils étaient en train de dresser les plans d'un hélicoptère en bois avec lequel ils comptaient déserter le village pour s'établir en Australie. Tout était prévu. Alphonse troquerait son cheptel contre des kangourous et le Zèbre se reconvertirait en trappeur. Cette idée faisait partie des chimères qui les rapprochaient. Le monde des adultes les barbait. Ils jouaient pour créer et perpétuer entre eux cette camaraderie qui naît lorsqu'on a posé des collets ensemble à dix ans, construit des cabanes au fond des bois à huit ans et taillé des élastiques de lance-pierres dans des chambres à air. Ils se fabriquaient un présent qui ressemblait à l'enfance et si Gaspard avait osé, il aurait volontiers lancé à Alphonse : « On dirait qu'on serait amis... »

Leur amitié passionnée se nourrissait également d'une multitude de services. Ainsi, quand l'hiver venait, les vaches d'Alphonse trouvaient refuge dans les écuries Louis XV du Zèbre qui, du même coup, renouaient avec leur glorieux passé.

Elles avaient en effet été construites dans la première moitié du xviiie siècle pour accueillir des bovins. Maximilien d'Ortolan, le premier maître des lieux, se piquait d'élevage et prétendait avoir quelques lumières en matière de reproduction animale. Pour des raisons qui demeurent opaques, il mêlait une dimension pseudo-religieuse à sa volonté d'amélioration des races laitières. Il fit donc aménager cette luxueuse étable, éclairée par des lustres en cristal, pour abriter les taureaux normands qu'il comptait croiser avec des vaches sacrées venues par mer, et à grands frais, des jeunes Indes françaises.

A tous les étages, la Maison des Mirobolants portait la marque de l'esprit singulier d'Ortolan. Il avait exigé une serre en lieu et place de grenier, là où l'air était, croyait-on à l'époque, moins corrompu par les puanteurs de la vie domestique. L'eau courante atteignait ce grenier agricole, recouvert d'épaisses verrières, grâce à l'une des inventions mécaniques de Léonard de Vinci. Il s'agissait d'une torsade de tuyaux de cuivre qui permet encore de faire monter l'eau lorsqu'on la fait tourner sur son axe. La nappe phréatique qui dort sous la maison servait déjà de réservoir. Comme tout un chacun, Ortolan avait observé que l'air réchauffé dans l'âtre des cheminées a fâcheusement tendance à stagner dans les sphères supérieures des pièces ; aussi mit-il lui-même au point une machinerie complexe destinée à faire varier l'altitude du plafond, dans le grand salon. Ce dispositif, qui grinçait toujours, enchantait particulièrement Natacha, friande de tout ce qui pouvait lui rappeler les romans de Jules Verne.

Citoyen de son siècle et grand épicurien, Maximilien

d'Ortolan poussait fréquemment la philosophie jusqu'à la débauche. Sanguin, il avait besoin de copuler entre les repas et, comme il se trouvait dépourvu d'épouse, il se fit bâtir un petit pavillon d'amour, sur les rives de l'étang riche en batraciens qui borde le parc. A l'ombre des colonnes de marbre, le brave Maximilien laissait libre cours à sa lubricité en compagnie de servantes peu farouches. Il prétendait s'y retirer pour étudier le coassement nuptial des grenouilles, mais nul n'ignorait ce qui s'y passait. Dès son arrivée, le Zèbre avait établi dans le pavillon son atelier de menuiserie. C'est là qu'il fabriquait avec la Tulipe des objets follement inutiles. Ensemble, ils terminaient à l'époque la fameuse machine à fumer, un véritable poumon de bois, animé par un soufflet haletant qui faisait hoqueter l'engin au rythme de son moteur électrique.

Tout autour de la petite coupole qui coiffait l'atelier, Gaspard avait installé des rayonnages de bibliothèque qui ne contenaient que des biographies. On y trouvait, pêle-mêle, des vies de Talleyrand, Léonard de Vinci, Napoléon, Picasso, Stendhal, Bismarck, Roosevelt, Goethe, Hemingway, et de toutes sortes de gens qui avaient su vivre à voix haute, au lieu de murmurer leur existence. Leur véritable point commun aux yeux du Zèbre n'était pas leur renommée mais leur effort abouti pour se libérer de la médiocrité du quotidien. Dieu qu'il les enviait ! Car Gaspard se savait sans talent particulier et donc condamné à vivre sa vie au lieu de la transfigurer par la création ou une action publique ; à moins qu'il ne la jouât comme on joue une pièce et qu'il ne la transformât en un vivant opéra de sa composition, à la gloire de son amour pour Camille. « Je suis un raté, s'était-il dit en contemplant ses biographies, mais je m'efforcerai d'être un raté d'exception. Mon chef-d'œuvre sera ma vie conjugale. »

41

Sous ses rayonnages, Gaspard fabriquait ses machines extravagantes autant pour se divertir avec son fils que pour se moquer de son absence de génie. La Tulipe raffolait de ces moments où son père avait son âge.

L'atelier servait également de fonderie. Le Zèbre récupérait les vieilles tuyauteries de plomb, non pour les changer en or — bien qu'il eût essayé à plusieurs reprises afin d'amuser Natacha — mais pour liquéfier le métal en le faisant revenir à feu doux dans une casserole réformée. Il le coulait ensuite dans des moules en plâtre dont il avait le secret. Indisposée par les émanations pestilentielles qui se dégageaient, Camille avait exilé cette activité aux confins du jardin, dans le pavillon d'amour.

Longtemps, le Zèbre avait espéré s'enrichir en fondant de fausses pièces de monnaie qu'il peignait avec soin. Hélas, du fait de ses multiples activités parallèles, il ne frappait qu'une seule pièce de cinq francs par mois. Aussi, quand il eut amassé quarante francs contrefaits, déçu par son rendement, décida-t-il de mettre fin à sa production illicite ; mais son numéraire maison avait désormais cours dans le village. Complices, les ruraux de Sancy feignaient de se laisser abuser et la boulangère ne rechignait jamais à se faire payer en monnaie de maître Gaspard Sauvage. Assez vite même les fausses pièces furent très recherchées. L'effet de rareté jouait, pour la plus grande gloire locale du Zèbre. Le boucher chuchota qu'il était artiste, l'institutrice répéta qu'il était poète et tout le monde finit par convenir que Sancy possédait un notaire digne de figurer dans le dictionnaire.

Sa dernière création était un moulage de sa main droite enserrant celle de Camille. Leurs doigts de plomb étaient enlacés et leurs lignes de vie se faisaient face, fondues l'une dans l'autre. Camille avait prêté sa menotte sans flairer que cette réalisation annonçait le sursaut du Zèbre qui bientôt réveillerait leur amour crépusculaire. Il était désormais prêt à solliciter toutes les ressources de son imagination.

Camille revint à la tanière domestique après minuit, les yeux cernés par le sommeil et le teint froissé. Sa soirée entre « suppôts de la Pieuvre » l'avait exténuée. Ses collègues investis de certitudes l'avaient assommée de phrases définitives.

Elle gravit les marches du grand escalier et, parvenue au premier étage, entendit des bruits ténus et réguliers, en provenance du grenier. Croyant qu'il s'agissait d'une escouade de souris, elle reprit son ascension, alluma la lumière et soudain avala sa salive.

Le Zèbre, devant elle et dans le plus simple appareil, noctambulait dans le couloir à une heure du matin. Il l'avait attirée en frappant sur le sol. Seul un petit pagne dissimulait pudiquement son derrière et son sexe.

— Que faites-vous là ? lui lança-t-il avec aplomb.

Camille fut alors submergée par des vagues de réminiscences. En tisonnant sa mémoire, elle finit par comprendre que le Zèbre venait de reconstituer les circonstances de leur rencontre et de leur coup de foudre, vieux de quinze ans.

Etudiant en droit, il logeait à l'époque dans un immeuble parisien. Un soir d'infortune, après avoir raccompagné l'une de ses maîtresses jusqu'à l'ascenseur, uniquement couvert d'une serviette autour des fesses, il s'était retrouvé seul sur son palier. Un fâcheux courant d'air avait claqué la porte de sa garçonnière. Naturellement, ses clefs gisaient sur son bureau, à l'intérieur. « By Jove, je suis fait », s'était-il dit, mettant ainsi à profit les deux mots d'anglais qu'il possédait.

Pour ne rien arranger, des pas se mirent à résonner dans la cage d'escalier. Ils montaient vers lui. Inquiet, il passa à l'étage supérieur ; mais la présence se rapprochait toujours. Affolé, il se précipita jusqu'au dernier palier en garrottant sa serviette éponge autour de sa taille. Une jeune femme finit par le rejoindre. Au moment même où il la vit, il commença à la regarder. « Que faites-vous là ? » lui avait-il lancé pour se donner une contenance.

Quinze ans après, aussi brièvement vêtu, Gaspard répétait cette première phrase. Comme certains ecclésiastiques, il croyait les gestes indispensables pour retrouver la foi. Le masque de la passion redeviendrait alors peut-être visage ; du moins l'espérait-il. Malheureusement, Camille n'était pas en état de participer à la reprise de cette vieille scène. Elle avait besoin de se poser. Trop d'heures de vol la séparaient de son petit déjeuner. Mais le regard implorant du Zèbre eut raison de sa fatigue et, touchée, elle lui donna la réplique avec un semblant de conviction :

— Et si c'était moi qui vous violais ? Vous en feriez une tête.

— En effet, balbutia le Zèbre qui, d'un coup, se sentit remonter le temps jusqu'à l'époque où, élève médiocre d'une faculté, il n'était que Gaspard.

— Espèce de petit macho testiculeux, vous croyez pouvoir terroriser les femmes en jouant les exhibitionnistes dans les cages d'escalier après minuit ? Eh bien, vous êtes tombé sur le mauvais numéro. Je suis ceinture rouge de judo !

Dans la foulée, Camille arracha le pagne du Zèbre d'un

geste sec. Ses fesses nacrées apparurent dans toute leur blancheur tandis qu'il rabattait ses mains sur son bas-ventre.

— Ah, vous faites tout de suite moins le fier comme ça, lança-t-elle en se retenant de bâiller.

— Je vais vous expliquer, c'est un malentendu.

— Vous allez dégager, ou faut-il que je vous fasse dévaler les marches ?

— Merde ! Ecoutez-moi un instant et puis arrêtez de bluffer. Si vous pratiquiez le judo, vous sauriez que la ceinture rouge n'existe pas.

— Peut-être, mais je sais quand même me défendre.

Pour illustrer ses propos, elle lui expédia sans délai un vigoureux coup de pied entre les deux jambes qui, comme par le passé, lui fit vivement regretter sa qualité de mâle.

— Tu aurais pu taper moins fort, murmura le Zèbre en aparté. Bon, on continue...

— J'ai oublié la suite.

— Tu te moques de moi ?

— Non, c'est vrai.

— Mais il s'agit de Notre Rencontre ! tonna-t-il

— Je suis désolée...

— C'est parce que tu n'es pas dans l'ambiance.

Gaspard lui fit ôter sa pelisse hivernale et enfiler d'autorité un imperméable identique à celui qu'elle portait ce jour fétiche, quinze ans auparavant. Pour plus de véracité, il lui flanqua même une bassine d'eau tiède à la figure ; car cette nuit-là, celle qui devait décider de leur biographie sentimentale, il pleuvait comme au cinéma. L'imperméable et le visage de Camille portaient les traces humides de cette mousson parisienne. Elle eut beau protester, le Zèbre tenait à ce que les moindres détails fussent respectés pour que, replongée dans la vivante atmosphère de cette soirée,

46

Camille pût laisser ses souvenirs revenir à la surface de sa conscience. Il tenait à ce qu'elle retrouvât elle-même la genèse de leur amour; mais devant le mutisme de sa mémoire, il se vit contraint de lui souffler son texte, avant de réattaquer.

— J'habite au quatrième, reprit-il plié en deux, ma porte s'est refermée et mes clefs sont restées à l'intérieur.

— Oh pardon...

— Si vous pouviez me prêter un pantalon, une chemise et des chaussures...

— Je suis vraiment confuse, entrez dans ma chambre.

— Mais non! rugit soudain le Zèbre en interrompant la scène. Pas tout de suite la chambre. Tu m'avais d'abord fait entrer dans ton salon. Camille, fais un peu attention, tu sabotes tout. Je commence à en avoir assez de tes conneries!

— Ecoute mon vieux, je veux bien me prêter à tes reconstitutions. Je suis prête à recevoir des baquets de flotte en pleine figure à une heure du matin. Je suis même d'accord pour enfiler un vieil imperméable qui me donne l'air d'une clocharde; mais je ne supporterai pas que tu me cries dessus! J'en ai plein le dos de tes remontrances, je suis épuisée, je dois me lever demain à sept heures. Tu comprends?

— Camille, articula-t-il avec componction, tout d'abord je ne tolérerai pas que tu dises « tes » reconstitutions. Il s'agit de « Notre » rencontre. Ensuite, veux-tu oui ou non remédier à l'anémie de notre passion?

— Oui..., lâcha-t-elle exténuée.

— Parfait. Il n'y a donc plus de débat. On recommence.

— Gaspard, je n'en peux plus. Si on remettait ça à samedi? L'après-midi, les enfants seront chez ma mère.

— L'après-midi! Tu es folle? Notre rencontre était nocturne, la reconstitution doit se passer la nuit.

47

— Oui, mais...

— Il n'y a pas de « mais ». On redémarre.

Somnambulique, Camille s'entendit reprendre son rôle :

— Je suis vraiment confuse, entrez dans notre salon.

— Tu le fais exprès ? lui lança le Zèbre hors de lui, l'œil minéral et la lippe inférieure tremblante.

— Qu'est-ce que j'ai dit ?

— Tu as dit « notre salon », alors que ce n'était pas encore le nôtre !

— Gaspard, grommela-t-elle avec une violence sourde, je crois que tu as oublié une péripétie qui intervenait juste avant ces quelques phrases.

— Laquelle ?

— Il me semble que je t'avais renversé dans les escaliers.

— Crois-tu ?

— Oui.

Dans la seconde, elle le déséquilibra et le projeta dans le vide. Il dégringola les marches de pierre dans un fracas qui soulagea Camille. Arrivé au bas de la rampe, un peu sonné, il s'étonna de ne pas avoir conservé un plus vif souvenir de cette chute ; quand soudain surgit de son sommeil et de sa chambre la tête blonde de Natacha. Elle contempla la scène avec étonnement en étreignant une vieille chose râpée qui avait dû être un lapin en peluche.

— Maman, murmura-t-elle, pourquoi t'es mouillée et pourquoi Papa il est tout nu ?

— Ma chérie, lança le Zèbre en rajustant sa serviette de bain, tu viens de découvrir que les adultes jouent la nuit pendant que les enfants dorment. C'est pour ça qu'ils ont l'air sérieux. Ne le répète pas, c'est un secret.

Le lendemain matin, Camille trouva dans sa boîte aux lettres une collection de factures ; comme si l'Inconnu avait voulu lui faire expier sa reculade. Aucune enveloppe ne portait trace de sa graphie d'insecte.

Les jours suivants furent aussi décevants ; mais le mutisme de l'Inconnu fit pour lui davantage que ses dix-huit lettres. Plus il était discret, plus sa présence s'affirmait.

A l'agacement des débuts succéda une semaine de délectation. Camille prit le parti de jouir de son attente en préparant son cœur ; mais au bout de dix jours d'espérance, l'angoisse commença à la miner. Elle craignait de voir se tarir définitivement le stylo de l'Inconnu. Elle essaya d'interpréter son silence et conclut que l'épistolier anonyme continuait à la punir de ne s'être pas rendue à leur rendez-vous. Elle saurait ainsi à quoi s'en tenir si, à la prochaine assignation, elle se dérobait à nouveau.

Camille se mit alors à redouter que l'Inconnu reprît la plume ; car elle sentait que si une missive la convoquait une fois encore, elle risquait fort de se lancer à corps perdu dans l'adultère. Cette issue fatale la chagrinait. Elle aurait voulu se nourrir de rêveries voluptueuses sans jamais succomber ; mais le Zèbre était si sot qu'il semblait tout faire pour l'y inciter.

Cette manière brutale qu'il avait de vouloir forcer l'éclosion des sentiments lui paraissait d'une rare inefficacité, au regard de l'adresse tactique dont l'Inconnu faisait preuve. En quinze jours d'abstention, ce dernier avait quasiment obtenu sa reddition. Cette victoire avait certes été acquise après pilonnage du terrain par une petite vingtaine de lettres ; mais le Zèbre, lui, en était encore à improviser des mises en scène artificielles qui, jusqu'alors, suscitaient plus de discordes que de roucoulements dans leur ménage.

Contrairement à l'Inconnu, Gaspard paraissait ignorer qu'un cœur ne se force pas comme un coffre-fort. Sa nature volcanique et sa conception musclée de la cybernétique des couples le rendaient aveugle aux tendres délices de l'amour. Il ne savait qu'empoigner les émotions. Elle aurait pris plaisir à lui enseigner l'inachevé et la ferveur, à goûter les nuances d'un sentiment, l'art d'amener les mouvements du cœur à maturation ; mais ses tentatives ne retenaient pas son attention. Plus que jamais déchaîné, il aboyait ses déclarations au lieu de les murmurer au creux de son oreille.

Face à ce déferlement d'initiatives, comme celle de la reconstitution de leur rencontre — qu'il répéta à deux reprises —, Camille faisait le dos rond, tout en cherchant à arracher son masque à l'Inconnu. Au lycée, elle menait son enquête en sondant la faune qui y sévissait.

Le vieux proviseur, étouffé de bonne éducation, détestait trop la sincérité pour être l'auteur de lignes aussi ardentes. Camille ne voyait pas non plus l'aigre professeur de piano lui dédier de semblables billets doux. Avec ses métacarpes élancés et sa raideur de cravache, on l'imaginait plutôt composer une marche militaire que verser dans le sonnet. Parmi les membres du cheptel enseignant, pas un n'avait l'étoffe du mystérieux correspondant. Le surveillant général, poète à ses heures, aurait certes pu produire d'excellentes lettres; mais les rictus qui lui mangeaient le visage se seraient probablement changés en tics d'écriture, songea-t-elle.

Seul son élève Benjamin lui paraissait susceptible d'avoir commis de tels chants d'amour. Les lettres sans signature restituaient l'exact bouquet de sa présence. Sa réserve y était tout entière et sa douceur se ressentait même dans les paragraphes les plus débridés. Derrière sa timidité, Camille subodorait une âme fervente, rigoriste jusque dans ses élans.

Sa conviction de tenir enfin l'Inconnu reposait également sur des constatations de bon sens. Il était en effet normal qu'un élève hésitât à dévoiler ses projets sur le cœur d'un professeur. Les lettres étaient un plus sûr véhicule pour s'avancer dans l'ombre et ainsi tâter le terrain avant d'envisager une opération à découvert. Et puis, l'écriture de l'Inconnu et celle de Benjamin étaient cousines et Camille ne lui connaissait pas de liaisons, malgré la surveillance de ses allées et venues; car elle ne se contentait plus de l'épier dans l'enceinte du lycée. Quand son rôle de mère lui en laissait le loisir, entre le ravitaillement du frigidaire et les récitations de sa progéniture, elle prenait le jeune garçon en filature dans les rues de Laval. Peu à peu, son existence se reconstituait sous ses yeux.

Benjamin terminait son adolescence chez Monsieur et Madame Raterie, ses parents, en compagnie d'un bataillon de grandes et petites sœurs conçues catholiquement, dans une demeure décatie sise non loin de la Mayenne, fleuve qui coule à son aise au centre de la ville. En fin de semaine, il renvoyait pendant deux heures les balles de tennis que lui expédiaient ses partenaires culottés de blanc, dans un club très privé; et, bien qu'il fût d'origine roturière, il allait le dimanche s'initier aux ruses du bridge, entre gens dont les ancêtres, eux, s'étaient fait occire à Marignan; après avoir

51

été frôler de ses lèvres la main veineuse de sa grand-mère. Un parfait exemplaire de la bourgeoisie locale, en somme. Pourtant, malgré son dressage social un peu suranné, l'Inconnu, qui ne l'était plus, conservait une insolente fraîcheur et un regard d'aveugle qui s'étonne de recouvrer la vue. Il semblait vivre intérieurement comme si chaque instant devait précéder la fin des temps, ou du moins la sienne.

Les jours où Camille professait devant lui, elle se fardait avec éclat, moulait sa poitrine de façon que son corsage parût plus abondant et choisissait la jupe ou le pantalon qui ferait le mieux saillir l'arrondi de ses fesses. Elle espérait ainsi l'inciter à sortir de sa réserve, le débusquer, exacerber son désir. Dans les travées de la classe, elle chaloupait discrètement de la croupe quand elle arrivait à hauteur de sa table.

Ce manège stérile dura jusqu'au vendredi soir où Camille ne parvint plus à mettre la main sur les dix-huit lettres de celui qu'elle croyait être Benjamin. Elle voulut d'abord croire qu'elle les avait égarées et inspecta tous les recoins de ses armoires et de son bureau. Après un quart d'heure de vaines recherches dans sa garde-robe et au fond de ses tiroirs, elle se souvint alors de s'en être délectée pour la dernière fois dans l'écurie bovine. Mais là aussi, nulle trace des épîtres compromettantes. Inquiète, elle fouina dans ses quartiers de maîtresse de maison. La lingerie, la cave à cochonnailles et le garde-manger furent passés au peigne fin sans donner de résultats. Ne restait plus que la vaste cuisine. Sans céder à la panique, elle fouilla méticuleusement chaque placard ; quand soudain l'ombre du Zèbre passa sur son visage.

— Tu cherches quelque chose ?
— Oui.

— Quoi ?

— Les salières qu'Alphonse nous avait offertes, s'entendit-elle répondre avec un à-propos qui l'étonna elle-même.

Gaspard ne poussa pas plus loin l'interrogatoire, se laissa tomber sur une chaise et s'immergea dans les mauvaise' nouvelles d'un quotidien dont les titres sentaient le ballon de rouge. Pour mieux peaufiner son mensonge, Camille se mit à traquer fébrilement les petites salières sur les étagères

— Elle ne l'a pas volé commenta le Zèbre en lissant la pliure du journal. Deux coups de chevrotine, et au tapis. Un crime passionnel. Elle trompait son mari depuis un an, la salope, lança-t-il à Camille en lui décochant un regard qui lui parut plus reptilien qu'affectueux.

Elle tressaillit et s'inquiéta de la soudaine grossièreté du Zèbre. Il n'avait guère l'habitude d'ouvrir la bouche sur des subjonctifs imparfaits mais, en général, il se gardait d'être trivial. Cet accès de vulgarité lui fit redouter le pire. Il avait dû trouver les lettres et, blessé, devait croire à sa trahison. Elle ne voyait, de prime abord, aucune autre explication au sous-entendu qu'il avait laissé planer en prononçant le mot « salope ». Mais après quelques respirations, elle s'avisa que ses conclusions étaient un peu hâtives. Après tout, les événements rapportés par le Zèbre n'étaient pas nécessairement apocryphes. Le sentiment de félonie de Camille lui faisait prendre ses craintes pour la réalité. C'est du moins ce qu'elle pensa et, ce faisant, elle prit conscience qu'elle se regardait déjà comme la maîtresse de Benjamin, sans l'avoir vraiment décidé. Son corps s'était prononcé à huis clos, sans consulter son esprit.

— La salope, reprit le Zèbre, elle cachait les lettres de son amant dans leur chambre à coucher.

Sur ces mots, il se moucha et replongea avec indolence dans les colonnes de faits divers. Camille sut à cet instant qu'il savait. Elle avait effectivement dissimulé son courrier dans l'un des tiroirs de sa table de nuit. Mais elle n'avait d'autre issue que de demeurer silencieuse. Un mot de sa part et le Zèbre pouvait la confondre.

Elle hésita cependant à courber l'échine. Après tout, il n'y avait pas de quoi l'inculper. Seuls ses désirs étaient attaquables. Mais elle se retint de clamer son innocence ; car force lui était de constater que, depuis qu'elle collectionnait en secret les lettres de l'Inconnu, son comportement l'accusait : sa mise aguichante, ses retards lorsqu'elle filait Benjamin dans les ruelles de Laval, sa réticence à se laisser posséder par le Zèbre, son manque d'intérêt à l'égard de son projet de restauration de leur passion et, surtout, le fait d'avoir caché ces missives. Chacun de ses actes attestait sa liaison.

Le nez dans les placards, feignant de chercher la paire de salières, Camille psalmodiait des prières dans sa tête pour que, par miracle, le Zèbre eût bien lu le tragique fait divers sur lequel il glosait ; quand une pensée la cingla. Et si l'Inconnu était son mari et non Benjamin ? Peut-être était-il en train de se jouer d'elle, de se rire de son angoisse. Après tout, songea-t-elle en opérant un retour en arrière de plusieurs semaines, il aurait très bien pu confier ses lettres à son clerc ou à Alphonse pour les poster de Laval pendant qu'il ripaillait avec ses confrères à Toulouse. Mais elle se rappela la missive qui décrivait la robe que le Zèbre n'avait pu voir. En revanche, Benjamin, lui, avait eu tout le loisir de la détailler pendant ses heures de cours de mathématiques. Il y avait donc plus de chances pour que l'Inconnu fût le double de l'adolescent, son jumeau littéraire ; et eût-il été le Zèbre, que coûtait à Camille de se laisser bercer par l'idée qu'il s'agissait de Benjamin ? Cette hypothèse la comblait trop pour qu'elle se la refusât.

— La salope, répéta Gaspard avec une animosité sourde

dans laquelle Camille voulut voir une confirmation de ses craintes, et donc de ses désirs.

La fureur du Zèbre était à ses yeux la preuve qu'il avait déniché des lettres où s'étalait l'amour d'un autre. Un sentiment mélangé animait Camille, fait de sa joie de savoir que l'Inconnu était bien Benjamin et de sa peur de la réaction de Gaspard.

Comme il s'obstinait à faire semblant d'éplucher son journal, Camille lui en voulut de la laisser mijoter. Irritée, elle fit volte-face et, les poings sur les hanches, se planta devant lui.

— Allez, sors-les !

— Quoi ? répondit Gaspard interloqué.

Frappée de stupeur, Camille prit alors conscience que le Zèbre ne détenait pas les lettres. Dans son emportement, elle avait failli révéler l'existence de sa coupable correspondance. Elle venait de friser l'algarade.

— Je suis sûre que c'est toi qui as caché les salières, lança-t-elle avec aplomb, pour se rétablir.

— Non, rétorqua-t-il, mais j'ai trouvé ça dans notre chambre.

Sans se départir de son flegme, il sortit de l'une de ses poches le paquet ventru contenant les dix-huit lettres de l'Inconnu. Cet ultime retournement ébranla Camille. Pour ne pas vaciller sur ses bases, elle s'agrippa à un meuble de cuisine.

— Pardonne-moi, murmura le Zèbre.

— De quoi ? lâcha-t-elle, étonnée.

— J'aurais dû réagir depuis des années. Je comprends que tu aies pris quelqu'un. C'est de ma faute...

— Mais non.

— Si...

— Gaspard, tu te trompes. Je n'ai jamais eu personne.

55

Je n'ai gardé ces lettres que parce qu'elles me flattent.

— Pourquoi les cachais-tu ?

— Pour que tu ne te moques pas de moi.

Camille usa de sa persuasion jusqu'à la corde, arguant qu'il lui était difficile d'entretenir une liaison avec un épistolier sans visage qui, de surcroît, ne lui inspirait que de l'indifférence. Bonne pâte, le Zèbre voulut bien se laisser convaincre ; mais pour clore cette affaire en bonne et due forme, il exigea de Camille qu'elle déchirât chacune des lettres séance tenante.

— Si tu veux, répondit-elle en feignant de prendre cette injonction avec détachement.

Sans trembler, Camille commença à mettre le premier feuillet en morceaux, tandis qu'une marée de révolte montait en elle. Le Zèbre la forçait ni plus ni moins à détruire elle-même les plus belles paroles d'amour qu'on lui eût jamais adressées. Chaque page déchiquetée l'éloignait un peu plus de l'Inconnu ; car ces lettres étaient les seules reliques qu'elle possédait de lui, depuis que sa plume s'était tarie. Cependant, Camille imagina pouvoir reconstituer les feuilles avec un ruban adhésif, dès que le notaire aurait le dos tourné.

Mais le Zèbre, comme s'il avait lu en elle, ratissa les petits papiers fripés et les précipita dans la cheminée où crépitaient quelques bûches. Camille vit partir en fumée tous les mots forts que l'Inconnu avait inventés pour elle.

— Ma chérie, murmura Gaspard, nous allons reprendre notre longue marche. Notre passion ne cessera de croître, je te le promets.

L'incinération des lettres avait éveillé en Camille une animosité sourde envers le Zèbre. Elle ruminait son ressentiment, avec la ferme intention de pousser plus avant ses relations avec Benjamin. La cécité du notaire l'irritait au plus haut point. Depuis qu'il s'était mis en tête d'aviver leur flamme, il accumulait les maladresses. Le solde en devenait exaspérant.

Décidément, le Zèbre était un sous-doué de la romance, un cancre du sentiment. Ses initiatives fleuraient le préfabriqué et quand il se fiait à son premier mouvement ce n'était que pour aggraver son cas. Un minimum de réflexion aurait dû lui faire comprendre que si Camille avait caché les lettres de l'Inconnu, c'était que ses mises en scène n'étaient pas propres à la faire rêver. Au lieu de cela, il s'obstinait à ne rien voir, comme aveuglé par son projet de restauration de leurs amours passées qui ne faisait qu'écarter Camille des voies du mariage.

L'image de Benjamin l'obsédait. Il hantait ses pensées les plus intimes et présidait à chacun de ses choix lorsqu'elle hésitait entre deux chemisiers. Lequel aurait-il préféré ? Les semaines s'égrenant, le fantôme de Benjamin emménagea dans la Maison des Mirobolants. Camille déplaçait les meubles selon les goûts qu'elle lui supposait. Peu à peu il lui sembla vivre en tête à tête avec le jeune garçon. Elle s'enfermait dans leur concubinage imaginaire.

Le Zèbre essaya à nouveau de lui faire rejouer les épisodes saillants de leur vie commune ; mais Camille se montra peu concernée. Elle préférait s'abîmer dans des songes éveillés où Benjamin occupait tour à tour le rôle du Prince charmant dans La Belle au bois dormant et celui de Gérard Philipe dans Fanfan la Tulipe. Elle renouait avec ses premiers émois de fillette, sans se soucier du côté fleur bleue de ses états d'âme. Natacha et Paul n'occupaient plus que des strapontins dans son esprit. Sans vergogne aucune, elle délaissait son masque de mère pour retrouver ses traits de jeune femme. Au diable sa famille, sa peau réclamait l'ivresse des passions juvéniles, en technicolor, avec coups de tonnerre dans le ciel à chaque baiser et battements de cils synchronisés sur ceux du cœur.

Le Zèbre avait su la faire palpiter dans le temps de leurs débuts amoureux ; mais ses ruses pour tenter de ressusciter cette époque fanée lui paraissaient désormais dérisoires. Son extravagance naturelle en faisait certes encore un excellent compagnon de route pour animer le quotidien ; mais pour le grand jeu, elle s'en remettait aux bons soins de Benjamin.

En classe, l'impressionnant jeune homme ne semblait pas mordre à l'hameçon de ses tenues affriolantes, alors que la plupart de ses élèves mâles en oubliaient leurs théorèmes. Camille s'épuisait en conjectures pour tenter d'expliquer cette apathie. L'hétérosexualité de Benjamin, sans être agressive, paraissait pourtant ne faire aucun doute. Elle attribua un moment son manque d'ardeur à la réserve toute bourgeoise qui bridait ses élans ; puis elle finit par en prendre ombrage. Les notes de Benjamin décrochèrent alors brusquement des hautes sphères. Habitué à fréquenter le firmament, il soupçonna son professeur de s'être égaré dans les barèmes et, avec assurance, la tança en public à plusieurs reprises. Camille dût boire par trois fois devant sa classe la honte d'avoir commis une injustice. Craignant que son cheptel de matheux ne commençât à subodorer son manège autour de Benjamin, elle réagit alors à l'inverse. La notation de l'élève Raterie connut une période de vive inflation. Peu regardant sur ces plus-values inopinées, il se garda bien de les contester.

Camille menait ainsi sa sourde guérilla sans se rendre compte que le désespoir gagnait le Zèbre chaque jour davantage.

L'amour conjugal est un poisson plein d'arêtes, pensait Gaspard. Pas comestible, une illusion, un mirage, oui, mais tellement sublime ; un résumé de la beauté du monde pour ainsi dire.

Le manque d'entrain de Camille l'accablait. Ah, le mariage... Vous aviez une maîtresse, elle met des rideaux à vos fenêtres, et la voilà devenue « de maison ». Quelle Berezina ! Gaspard macérait dans sa tristesse sans l'étaler. D'ailleurs, à qui s'ouvrir ? Alphonse, bien sûr. Mais que lui dire ? Qu'il avait cru, qu'il croyait toujours en l'impossible : la passion à perpétuité, bague au doigt. Un rêve, non ? Même à son ami paysan, l'entreprise pouvait à juste titre paraître déraisonnable.

Affligé, le notaire mobilisa toute son attention sur ses activités traditionnelles : la construction de l'hélicoptère en bois avec Alphonse, les successions, les ventes d'immeubles et les lavements qu'il infligeait à son clerc. Il en profita également pour seconder sa fille dans la « remise en ordre » du cimetière de Sancy.

Natacha mettait un point d'honneur à rétablir un peu de justice dans ce lieu. Du haut de ses sept ans, elle trouvait inique que certaines sépultures croulassent sous les fleurs alors que d'autres, déshéritées, étaient la proie du lichen et des herbes folles. Aussi allait-elle de temps à autre répartir équitablement les couronnes et les gerbes entre les pensionnaires. Le voisinage des morts ne paraissait pas entamer son moral. Au contraire, cette promiscuité l'incitait à chanter des comptines tout en exécutant son labeur, ou plutôt sa mission.

Mais ce socialisme post-mortem n'était pas du goût de Malbuse, l'homme à tout faire de la mairie plus ou moins chargé du gardiennage du cimetière. Les familles indigènes s'étaient plaintes de ces pratiques qualifiées de « subversives », voire de « communistes ». Où va se nicher la politique... Toujours est-il que Malbuse s'était juré d'appréhender l'anarchiste au couteau entre les dents qui se permettait de léser les défunts de la commune les plus honorés. Son ardeur venait de ce que, pour étoffer son traitement, il creusait les tombes à chaque enterrement. Il soignait donc son image auprès des paroissiens du cru. Rapport au pourboire, après l'inhumation. C'est ainsi qu'un jour, dissimulé derrière une chapelle funéraire, il surprit avec étonnement la minuscule Natacha en train d'officier.

Il l'attrapa par l'oreille, la tança vertement et vint prévenir le notaire que s'il la reprenait en flagrant délit, il alerterait les gendarmes, foi de Malbuse. Peu hospitalier, le Zèbre le traita d'empaillé et lui conseilla vivement d'aller se faire sodomiser ou, s'il avait des préjugés, de se faire mettre un cornichon géant dans le troufignon. Passons sous silence la suite des invectives. Il devenait inflammable quand on touchait à ses têtards.

Ahuri, Malbuse décampa sans demander son reste, poursuivi par le notaire qui brandissait des pinces à feu. Au portail, il s'arrêta, essoufflé, et lui troussa un dernier envoi, une ultime bordée de noms d'oiseaux. Natacha riait, battait des mains. Dieu qu'elle aimait son drôle de père.

61

Naturellement, elle récidiva; mais cette fois-ci, escortée par le Zèbre. Ils appareillèrent dans les brumes de l'aube, munis d'une bêche et d'un râteau pour toiletter les stèles et les dalles les plus oubliées. Natacha avait même emporté une brosse métallique pour rafraîchir les épitaphes incisées dans le granit ou le marbre. Il était convenu qu'elle s'occuperait de tout pendant que son père ferait le guet, posté à l'entrée du cimetière. Si le sinistre Malbuse montrait le bout du nez, ils pourraient ainsi se carapater par la porte de derrière.

Natacha jubilait. Ils s'étaient levés aux aurores, rien que tous les deux, sans bruit. Camille et la Tulipe cuvaient encore leur sommeil. Ils ne les avaient pas mis au courant de leur équipée. Un secret, un vrai, entre eux, une intimité de plus. Le Zèbre lui fit bouillir son lait, oui, il le fit déborder, avec deux tranches de pain grillé, beurrées dans les coins et nappées de miel, sur les bords aussi; puis, furtivement, ils s'en furent, les poches remplies de provisions de bouche et chargés de leurs outils. La grille du cimetière était cadenassée. Ils durent franchir le mur, une courte-échelle et hop! Retombée sur ses courtes jambes, Natacha se tourna alors vers l'assistance.

— Bonjour tout le monde! lança-t-elle avec gaieté en direction des stèles.

Surpris par cette familiarité, le Zèbre s'installa aux abords du portail et fit semblant de scruter les alentours. Il savait que Malbuse ne surgirait pas un lundi, son jour de repos. Il n'y avait donc aucun péril; mais Natacha conserverait longtemps l'image d'un père complice et protecteur. Il lui faisait ainsi cadeau d'un souvenir. On élève ses enfants comme on peut.

Gaspard était profane dans l'art d'être papa, comme dans

celui d'être mari. Il improvisait avec l'espoir qu'il finirait un jour par ressembler à ses rôles.

Triste, triste, triste était le notaire. Ah, si seulement Camille... Il eût presque voulu qu'elle ne fût plus à lui pour la reprendre; mais elle était bien sa femme, et légitime en plus. Il y avait même eu des témoins.

La jeune blonde était belle à peindre, avec je ne sais quoi de troublant dans la silhouette. Le Zèbre la vit d'abord à l'envers, dans le miroir d'un bar-tabac. Elle avait des yeux bleus d'étudiante en lettres et ce qu'elle en montra quand leurs regards se rencontrèrent acheva de l'émoustiller.

Prudent, il paya son paquet de cigarettes et quitta l'estaminet, en frôlant par mégarde la fille un peu courte et sans grâce qui discutait avec elle. La somme de leurs printemps n'atteignait sans doute pas son âge. Elles devaient encore parler de leurs vingt ans au futur.

Foulant le pavé de la rue du Val de Mayenne, le Zèbre songea à ses années d'université parisienne, plus casanovesques que studieuses. Il copulait alors avec l'ardeur que d'autres mettaient à jouer au football. Gaspard considérait à juste titre que la fornication était le seul sport où l'on ne s'essoufflait pas pour rien. Puis était venue Camille et la découverte de la ferveur. Conquis, il s'était fait monogame comme on embrasse une religion. Naturellement, la chair l'avait taraudé plus d'une fois depuis. Il lui était arrivé de trousser des femmes en imagination et de se prouver qu'il n'avait pas déposé les armes de la séduction en faisant palpiter le cœur d'une dame ; mais il s'était toujours gardé de commettre ce qu'on regrette car il ignorait l'art d'oublier, cette façon de se dédoubler en confiant une part de ses souvenirs, ceux où l'on ne ressemble pas à l'idée qu'on se fait de soi, à un autre soi-même, moins regardant. Jusqu'à présent, il était parvenu à tenir Horace en laisse.

Ce petit nom — Horace — venait d'une vierge particulièrement ingénue qu'il avait fait haleter pour la première fois sur une banquette arrière, avant Camille. La pucelle, d'origine helvétique, s'était étonnée de ce que les émois de Gaspard paraissaient incontrôlés. Elle en avait bizarrement conclu que le sexe de l'homme n'en faisait qu'à son gland, comme s'il se fût agi d'un petit animal épris de liberté, capricieux et exigeant ; ce qui prouve qu'on peut être naïf, Genevois, et entrevoir certaines vérités ultimes. Douée d'un grand sens des noms, la Suissesse avait baptisé l'engin du Zèbre Horace. Elle était passée, le sobriquet était resté.

Les mains dans les poches, le notaire ressassait ces souvenirs remplis de sensations voluptueuses quand il entendit pouffer derrière lui. Il fit une halte devant une boutique et, dans le reflet de la vitrine, aperçut la blonde qui murmurait quelques mots à l'oreille de son amie. Elles se replièrent derrière un présentoir de cartes postales et feignirent de s'y intéresser ; du moins en eut-il l'idée.

Que ces novices de l'amour l'eussent pris pour une proie acceptable divisait soudain son âge par deux. Il se sentit replongé dans cette époque bénie où les femmes étaient encore libres et où il les butinait allègrement, comme si demain n'était pas pour demain. Quand la passion se moquait des sabliers. C'était cela qu'il retrouvait dans les yeux de cette jolie blonde aux seins neufs.

Altière, elle était, et piquante aussi. Sans façon, elle le doubla en chaloupant son cul de Reine. Sa copine trottinait derrière, tel un poisson pilote. Elles s'évanouirent dans la foule, au bout de la rue, sans lui faire l'aumône d'un regard.

Il avait rêvé. Les gloussements ne lui étaient pas destinés. Il lui fallut également admettre que l'arrêt devant les cartes postales n'avait pas pour but de lui signifier l'intérêt qu'on lui portait.

Déçu, le Zèbre eut un sourire amer en songeant à sa frivolité. Il avait suffi d'un regard de jeune fille pour le détourner, un instant, de Camille. Le plus grand amour du monde à la merci d'une paire d'yeux bleus... C'est la faute à Horace. Sûr que les anges n'en ont pas. Sinon, comment prendre de l'altitude? Mais l'imagination aussi est complice quand on voit un corsage bien rempli et que mille désirs se mettent à danser dans la tête.

Le Zèbre glosait ainsi sur la misère de sa condition de mâle, lorsqu'il vit réapparaître la blonde, flanquée de son ombre. Elles firent semblant de s'esbaudir devant un étalage, le sourire aux lèvres et l'œil en coin. Pour clarifier leurs intentions, Gaspard s'engagea dans une venelle; mais personne ne marcha sur ses traces. Touché dans son amour-propre, il revint sur ses pas quand soudain les deux filles surgirent dans la ruelle. Une boulangerie lui permit de les éviter. Il acheta un gâteau et ressortit. Elles l'avaient dépassé et semblaient rire sous cape. Craignant de trop se dévoiler, il fit demi-tour. Mieux valait reprendre l'initiative et provoquer une rencontre fortuite au moment où elles déboucheraient sur la place de la mairie. Il avait le plan de Laval dans l'œil depuis son enfance et connaissait les raccourcis mieux que quiconque. Ces gaminauderies le troublaient. Depuis longtemps, il n'avait éprouvé ce genre d'émotion juvénile.

L'embuscade était bien manigancée. Elles arrivèrent à l'angle de la place, comme il l'avait prévu. La blonde l'aperçut, alors qu'il achetait un quotidien dans un kiosque. Mutine, elle lui décocha un sourire et le provoqua de la prunelle avant de s'asseoir sur un banc public, à côté du poisson pilote. Le Zèbre desserra sa cravate. Dieu qu'il fait beau quand une jeune fille vous prend pour un jeune homme. L'amour lui paraissait soudain léger, éloigné de la gravité d'une passion conjugale. Mais plutôt que de faire le premier pas, il s'installa à une terrasse de café, non loin, pour la forcer à abattre son jeu.

Sous son parasol et derrière son journal, Gaspard se sentait d'humeur à escalader tous les monts de Vénus. Le regret des occasions manquées se mêlait à l'envie de goûter les lèvres de la blonde. A quoi bon rester fidèle à une Camille si peu encline à le comprendre. Il était ivre de concupiscence. Inutile de lever le coude, la taille fine de cette fille agissait.

Mais quand il abaissa son quotidien, la belle s'était envolée. Sur le banc, une vieille dame nourrissait des moineaux. Philosophe, il but un café face à une chaise vide. Cette histoire lui parut comme un accès de fièvre, un coup d'adolescence. Au fond, la Suissesse avait raison : Horace est un petit animal imprévisible.

Le Zèbre était las. Depuis bientôt un mois qu'il s'efforçait de réveiller leur couple, il se heurtait sans cesse à la mauvaise volonté de Camille. Son ardeur se mit à fléchir. La réalité devenait incontournable. Camille en avait assez de ses stratagèmes. Elle n'était plus qu'hostilité lorsqu'il lui parlait de reconstituer une scène de leur passé d'amants.

La mort dans l'âme, Gaspard finit par admettre la faillite de son entreprise. L'habitude l'avait vaincu. Il ne verrait pas leur amour renaître de ses cendres. Cette idée le consternait et lui donnait envie de pleurer. Humiliation de la défaite. Désarroi de savoir leur passion à jamais enfuie. Colère devant son impuissance.

Découragé, le Zèbre commençait à envisager les solutions bancales dont la plupart des hommes se contentent, faute de mieux, pour continuer à vivre en ménage tout en satisfaisant leurs appétits charnels et leur soif d'émotions fortes. Amer, il n'excluait plus d'imiter ces maris qui prennent une maîtresse. Il se résignerait sans doute à ces cinq à sept fugaces, paradis des époux déçus qu'on dit trop facilement légers. Adieu la romance éternelle. Bonjour les trahisons conjugales, les placards, le mensonge, le vaudeville qui, comme les clowns, est drôle à la scène et triste à la ville. Il connaîtrait alors les déclarations dans lesquelles on ne promet rien, les amours à responsabilité limitée, les couche-ries d'où le sentiment d'éternité est banni et où l'on prend sans se donner vraiment.

Les semaines s'écoulant, Gaspard passait progressive-ment du dépit à l'envie sincère de se prélasser dans des sentiments sans grandeur. Epuisé, il voulait désormais goûter ces liaisons qui ne mobilisent que superficiellement, se complaire dans une confortable médiocrité, alléger son existence en forniquant avec détachement et désinvolture. Ne plus mettre son cœur en jeu devint son principe. Gaspard rêvait à présent d'amours sans gravité.

Il feuilleta son carnet d'adresses pour y dénicher une amante facile, une béquille qui l'aiderait à continuer sa marche avec Camille. Plusieurs noms retinrent son atten-tion. Mathilde Clarence était de ceux là. Il se souvenait d'avoir un jour posé sur son décolleté des regards qu'il aurait voulu moins appuyés. Elle lui revint en mémoire, assise face à lui dans son bureau, jambes un rien entrou-vertes. A l'époque, il n'avait pas cédé à ses sens.

Le Zèbre lui téléphona. Rendez-vous fut pris pour le lendemain, dans un restaurant. A treize heures tapantes, le jour dit, il retrouva Mathilde. Elle n'avait rien de désagréa-ble à regarder, des yeux noirs d'une artificieuse innocence et de la grâce à revendre. Le repas fut exquis, la conversation insipide. Gaspard lui fit une cour empressée et, comme ni l'un ni l'autre n'y voyait d'inconvénient, ils convinrent de faire l'amour l'après-midi même, chez Mathilde, à dix-sept heures. Son mari ne devait rentrer qu'à dix-huit heures trente, ce qui leur laisserait un peu plus d'une heure pour officier.

Quand elle eut quitté la table, Gaspard commanda un second café qu'il but lentement, avec délectation. Ah, le bonheur des aventures inodores...

Comme prévu, à dix-huit heures quinze l'affaire était réglée... Camille était trompée et le Zèbre pleurait de s'être trompé lui-même.

En sortant de chez Mathilde, il fut pris de nausées violentes et d'un vif désir de contrition. Il avait commis l'affreux péché de n'être pas lui-même, ou plutôt de n'être que lui-même, un métis d'ange et de bête et non ce héros de l'amour qu'il aurait souhaité devenir. Il était tombé dans la même abjection que ces maris qu'il jugeait naguère un peu vite. Il était lui aussi passé sous les fourches caudines de l'adultère. Moi aussi, moi aussi, se répétait-il, ahuri d'être fait du même bois que tout le monde. Pas moyen de s'élever un peu au-dessus de la condition humaine, gluante et veule. Ah, rêve d'une existence où l'on serait moins soumis à notre nature, plus maître à bord, plus près du sublime. Tristesse de n'être qu'un teckel à fleur de sol.

Dégoûté, Gaspard se gourmanda avec sévérité, fustigea sa faiblesse et, d'un coup de téléphone à Mathilde, mit fin à leur commerce.

Il avait retrouvé la foi.

Un soir, dans la cohue braillante de la sortie du lycée, Camille aperçut le Zèbre qui l'attendait, les bras chargés de fleurs. Les mères venues récupérer leur têtard en avaient des vapeurs de jalousie. La plupart n'avaient pas dû voir un pétale de rose depuis leur lune de miel. Elles avaient, il faut le reconnaître, des bobines à avoir des flatulences dans le lit conjugal et à ne jamais débroussailler les poils de leurs aisselles.

Gaspard s'avança vers Camille, lui adressa un sourire et tendit la gerbe qu'elle étreignit contre son sein. Les fleurs avaient été choisies. Puis, silencieux, il serra sa menotte dans sa large main et ils déambulèrent ainsi sous les marronniers, vers la voiture.

Elle le reconnaissait soudain. Il avait suffi d'un bouquet pour qu'elle le retrouvât et que, tout à coup, Benjamin lui parut pâle comme un souvenir usé. Le Zèbre avait dû s'apercevoir de l'inanité de ses reconstitutions historiques et prendre conscience des vertus de la tendresse. Elle l'embrassa. Le malaise s'était dissipé. Elle allait rentrer dans leur maison, vaccinée contre ses tentations adultères, renouer avec la sérénité de leur vie provinciale, secouée par les seules lubies de Gaspard et d'Alphonse. Elle se sentait même prête à lui restituer sa dynamite, confisquée lors-

71

qu'il avait essayé de pêcher à l'explosif dans les douves.

Ils prirent place dans l'automobile du Zèbre ; mais au lieu de faire démarrer le moteur, il sortit de l'une de ses poches un petit coffret nacré.

— Ouvre, chuchota-t-il.

Craignant qu'il ne s'agît encore d'une ruse, Camille balança un instant puis découvrit, au fond de l'écrin, des boucles d'oreilles très fines. Depuis dix ans, il ne lui avait plus offert de bijoux, préférant investir ses revenus, ou plutôt ses emprunts, dans du matériel de menuiserie. Une bouffée de bonheur la fit tressaillir et la laissa dans un insondable bien-être.

— Je voulais t'être agréable une dernière fois, avant que nous ne jouions au vieux couple, murmura-t-il en surprenant de l'étonnement dans les yeux de Camille,

Puis il lui indiqua un sac de plastique et, comme pour sous-titrer son geste, la pria d'examiner son contenu. Il y avait là une demi-douzaine de bigoudis rosâtres, deux paires de charentaises amorties, ainsi qu'un faux dentier.

— Je t'ai également acheté une robe de chambre mauve pâle en acrylique. Je n'ai rien trouvé de plus laid, ajouta-t-il.

— Pour quoi faire ?

— Pour jouer au vieux couple.

— Qu'est-ce que c'est que cette histoire ?

— Nous allons mimer la déchéance de notre couple pour nous en dégoûter.

Le découragement éteignit les traits de Camille ; mais Gaspard poursuivait, transporté par son projet :

— Désormais tu m'appelleras « Papa » et moi « Maman », nous porterons des charentaises chez nous, je te maltraiterai, nous roterons l'un en face de l'autre, chaque soir nous mangerons de l'ail, tu te coucheras avec des bigoudis, je laisserai mon dentier à tremper dans un verre sur la table de nuit, nous éviterons de nous parler, même de nous regarder, d'ailleurs nous installerons la télévision face à nos lits que nous séparerons, naturellement, et nous nous efforcerons de prendre des habitudes.

— C'est tout ? ironisa-t-elle.

— Oui.

— Et les enfants ?

— J'ai tout prévu. Les séances de vieux couple ne commenceront qu'après l'extinction des feux, quand la Tulipe et Natacha seront couchés. On s'enfermera à clef dans notre chambre, tu mettras ta robe de chambre mauve et tes bigoudis roses et moi je chausserai mes charentaises.

— Gaspard, d'où te vient cette idée du vieux couple ? Ça peut être très beau.

— Vieillir ensemble... La belle affaire ! Quelle défaite, oui. Pourquoi crois-tu que les contes se terminent toujours par : « ils se marièrent et eurent beaucoup d'enfants » ? Parce qu'après c'est la débandade. Les étreintes se ramollissent et les baisers sentent vite la naphtaline. C'est pour ça que l'histoire s'arrête aux retrouvailles, pour cacher cette vérité hideuse aux têtes blondes pleines de rêves. Mais nous, Camille, ne t'inquiète pas ; si tu me suis, nous passerons à travers les mailles du filet. Le temps ne nous aura pas. Nous serons plus malins que lui. Je te jure que notre passion connaîtra une résurrection.

— Mon chéri, ces mises en scène ce n'est pas de l'amour, c'est une pantomime de l'amour ; et en plus ça ne sert à rien. On ne peut pas faire jaillir les sentiments de force. Sois tendre. Parle-moi, regarde-moi au lieu de chercher sans cesse à quelle sauce tu me mangeras.

Ce disant, elle songeait à la douceur des mots que lui murmurait par écrit Benjamin, quand il se dissimulait derrière la signature de l'Inconnu.

Le Zèbre ravala sa déception et s'abstint de répondre. Claquemuré dans son mutisme, il prit le volant et fit gémir le moteur tout au long du retour. Ses gestes chaotiques et ses regards en fuite trahissaient son amertume et son dépit. « Ce n'est pas de l'amour, c'est une pantomime de l'amour », avait-elle dit. Camille ne comprenait donc pas qu'il n'est d'émotion forte que dans le tourbillon du jeu. Ah quelle guigne, songea-t-il, que le Bon Dieu ne nous ait pas créés pour interpréter des pièces durant soixante-dix ans, des œuvres denses où chaque réplique serait nécessaire. Gaspard était plus que jamais résolu à mettre en scène leur vie conjugale, à sortir leur couple des coulisses où il croupissait.

Le soir, peu loquace, il se retira de bonne heure dans leur chambre, l'air sombre. Tourmentée par sa sourde réaction, Camille envoya Natacha au lit sans tarder et laissa la Tulipe en tête à tête avec une série télévisée, pour le rejoindre au plus vite.

A peine avait-elle franchi le pas de la porte qu'elle s'arrêta net. Etendu sur l'un des deux lits séparés, le Zèbre scrutait un petit poste de télévision à travers des montures de lunettes sans verres. Chaussé d'une paire de charentaises, emmitouflé dans des mitaines râpées et vêtu d'un gilet élimé, il lui fit l'aumône d'un coup d'œil en secouant son faux dentier dans un verre d'eau ; puis il renifla un filet de morve — bien réelle — et, hagard, fixa son regard sans prunelles sur le tube cathodique animé.

Ahurie, Camille partit d'un fou rire.

— Allez, arrête, lui lança-t-elle.

L'appendice nasal toujours orienté vers l'écran lumineux, Gaspard demeurait impassible. Camille eut beau l'implorer, le menacer, se fâcher, rien n'y fit.

— Chut, finit-il par lui souffler en aparté, les vieux couples ne se parlent plus. Ils n'ont plus rien à se dire.

Camille éructa encore un moment et, exténuée, décida de se coucher.

— Tu veux bien éteindre la télé, s'il te plaît ?

Pour toute réponse, elle n'eut droit qu'à une bordée de pets gras et capiteux.

— Ah non, maintenant ça suffit ! En plus tu es répugnant.

— Eh Maman, bêla-t-il, apporte-moi la bassine pour mes bains de pieds.

— Tu veux aussi ma main sur la figure ?

— Oui, excellent ! Parce que chez les vieux couples, la haine est accumulée sur des dizaines d'années.

— Gaspard, arrête, j'ai l'impression de vivre un cauchemar.

— Eh, Maman, regarde ça.

Dans l'étrange lucarne, une publicité vantait les mérites d'un soutien-gorge et, en guise d'illustration, des seins au galbe impeccable étaient exhibés sur un fond sonore douteux.

— Ça me rappelle le bon vieux temps, soupira-t-il.

— Espèce de macho testiculeux.

— Maman, le prends pas comme ça ! T'as encore de beaux yeux. Les dents, bon d'accord, elles sont hors d'usage ; mais tes cheveux, ils sont d'origine. T'as pas à te plaindre.

Irritée, Camille lâcha tout le fiel qu'elle avait sur le cœur depuis des semaines. Elle rejetait en bloc tous les subterfuges dont il usait, soi-disant pour restaurer leur mariage. Avec violence, elle lui assena ses quatre vérités :

— Au fond, tu ne m'aimes pas, tu aimes tes stratagèmes. Tu te moques de notre amour, tu t'en sers comme d'un moyen pour colorer le quotidien. Avoue-le, nom de Dieu ! Tu parles de passion mais tu ne me regardes pas avec les yeux d'un amant. Jamais tu ne te préoccupes de mes désirs. Moi aussi j'ai envie de rêves mais de rêves qui ne bouleversent pas à chaque instant notre vie. Je voudrais un bouquet de fleurs de temps en temps, un peu d'attention et de tendresse. Et que tu cesses tes mises en scène. C'est simple, non ? Ho ! Tu m'entends ?

Absorbé par un feuilleton télévisé, Gaspard agitait distraitement de temps à autre le faux dentier qui croupissait dans l'eau du verre à dents.

— Tu m'écoutes, à la fin ! hurla Camille, excédée.

— Eh Maman, t'as tes règles ou c'est la ménopause ?

Sans réfléchir, Camille attrapa une chaise et le frappa à la tête aussi fort qu'elle put. Il avait outrepassé les bornes de l'acceptable. Jamais elle ne l'aurait cru susceptible d'autant d'ignominie.

Mais à présent il gisait les yeux clos sur son édredon, blessé à l'arcade sourcilière.

— Gaspard ?

Ses lèvres et son visage demeuraient immobiles.

— Gaspard, reprit-elle d'une voix tremblante, arrête de jouer.

Inquiète, elle humecta un foulard dans le gobelet du dentier et tamponna son front glacé.

— Mon chéri, balbutiait-elle.

Progressivement, le Zèbre remonta à la surface de sa conscience et, quand il eut recouvré ses esprits, lui sourit.

— Pardonne-moi, lui chuchota-t-elle en caressant ses tempes tachées de sang.

— Ne t'excuse pas, mon amour. Je souhaitais en arriver là. Je voulais que ta répulsion pour tout ce qui ressemble à un vieux couple soit absolue, tu comprends ?

Ebranlée, elle le couvrit de baisers. Ce soir-là, ils firent l'amour ; mais Camille se sentit seule dans les bras du Zèbre. Pour franchir le cap de l'orgasme, elle s'imagina possédée par Benjamin.

Gaspard sentait qu'il n'entrait pas dans son naturel de faire le joli cœur auprès de Camille. Le train-train amélioré qu'elle souhaitait le rebutait. Il ne savait comment lui dire qu'il ne rencontrait l'amour qu'en jouant.

L'attitude de Camille le désolait. Elle reprisait ses jupes et laissait leur mariage se gâter sans réagir. Il lui aurait proposé de repeindre les volets de la Maison des Mirobolants qu'elle aurait accepté sans barguigner; et pour le grand ravalement de la quarantaine Madame faisait la fine bouche, comme si les ténèbres ne les talonnaient pas, comme s'il n'était pas urgent de s'aimer.

En rangeant ses cheveux et ses ongles, qu'il collectionnait toujours en secret, Gaspard avait retrouvé par hasard les pages sur lesquelles, quinze ans auparavant, Camille avait essayé d'arrêter sa nouvelle signature de femme mariée; et il avait pleuré. Il avait devant lui la preuve manuscrite du désir de Camille de devenir son épouse. Ces essais étaient antérieurs de quelques mois à leurs noces. Heureuse époque où il n'avait pas encore commis la folie de la mettre à son nom. Comment remonter la pente? Le Zèbre était désemparé, et pressé. Lorsqu'il était enfant, une chiromancienne au teint olivâtre lui avait prédit qu'il ne connaîtrait pas cet âge réputé être le troisième. Sa ligne de vie était singulièrement courte. Depuis qu'il se croyait habité par le sentiment de sa mort, il y repensait chaque matin.

D'humeur morose, Gaspard partit un vendredi soir se changer les idées au tréfonds d'une forêt voisine, en compagnie de la Tulipe. Ils allaient souvent marcher tous les deux dans les bois en fin de journée. Ensemble, ils taillaient des cannes, s'épanchaient et le Zèbre lui apprenait à distinguer le chant de la grive musicienne de celui du rossignol. Entre deux confidences, le père et le fils s'arrêtaient et écoutaient les oiseaux.

Dans la lumière déclinante du soir, ils traversèrent une haute futaie, baptisée par le Zèbre « forêt de la Navale ». Aux dires du notaire, les chênes avaient été plantés par Colbert pour donner des mâts à la marine française de l'an deux mille. Pour une fois, il ne fabulait qu'à moitié. Le fait est authentique, sauf qu'il ne s'agissait pas de cette chênaie, mais de celle de la forêt de Tronçais. Sans doute l'avait-il su ; mais à force de répéter son demi-mensonge, il avait fini par s'en convaincre.

Leurs pas les portèrent jusqu'à la lisière d'une clairière. Troublé par les sentiments qu'il ruminait depuis le début de leur promenade, le Zèbre serra brusquement l'épaule de son fiston.

— Tu ne peux pas imaginer à quel point j'aime ta mère, murmura-t-il tout à trac.

Emu, la Tulipe ne savait trop quoi répondre. Un bonheur sourd faisait battre son cœur ; mais il craignit soudain que sa mère n'aimât pas son père avec autant de passion.

— Ce qu'on entend, c'est un rouge-gorge ou un pinson ? demanda-t-il pour alléger l'atmosphère.

— Un pinson, je crois.

Au retour, ils coupèrent à travers bois et gardèrent le silence. Le Zèbre prit alors conscience qu'il n'avait jamais parlé à son garçon des choses de l'amour. Il l'avait initié à la menuiserie, lui avait appris à repérer les étoiles et à reconnaître le chant des oiseaux ; mais il avait éludé l'essentiel. Il ignorait d'ailleurs si la Tulipe était en âge d'aimer.

Arrivé sur le perron de la Maison des Mirobolants, il se décida enfin à sauter le pas, au risque de sombrer dans le ridicule.

— As-tu des poils au zizi ? lui lança-t-il.

Interloqué, la Tulipe le regarda avec des yeux ronds, se demandant s'il avait perdu la tête.

— Oui, fit-il avec beaucoup d'indulgence pour son pauvre père.

— Tu verras, il n'y a rien de plus merveilleux au monde que de faire l'amour avec la femme qu'on aime.

Le plus important était dit, maladroitement, mais c'était fait. Soulagé, le Zèbre entra dans le salon et se servit un cognac. La Tulipe ne savait pas encore qu'il se souviendrait longtemps de cette sortie en forêt de la Navale et de ces quelques mots échangés sur le perron.

Un matin, le facteur sonna et remit à Camille une enveloppe sur laquelle ses nom et adresse étaient écrits par la main de l'Inconnu. Son cœur bondit dans sa poitrine et, les tempes chaudes, elle s'isola discrètement dans la serre du grenier pour se délecter de cette prose tant attendue.

Benjamin, ou plutôt l'Inconnu, la priait de porter sa robe noire de lin. Il avait donc remarqué ses écarts vestimentaires et, apparemment, souhaitait un retour à la normale. Confuse de s'être ainsi affichée, Camille descendit en douce dans sa chambre pour se changer. En ôtant son chemisier, elle songea avec amertume que le Zèbre, lui, n'avait pas noté de changement dans ses toilettes. Il devait même ignorer qu'elle possédait une robe sombre de lin.

Il avait suffi d'une injonction du jeune homme pour aviver tous ses espoirs. Depuis des semaines, elle s'efforçait en vain de rétablir la ligne entre elle et Benjamin. Cette lettre la plongea dans un transport sans mélange.

Habillée de sa robe noire, elle se rendit au lycée en bus. Sa petite automobile n'avait pas résisté à la récente révision que lui avaient fait subir Alphonse et Gaspard.

Sitôt le portail franchi, Camille sentit ses jambes fondre dans ses bas. Dès que Benjamin la verrait ainsi vêtue, en noir, il la saurait consentante. Soudain affolée, elle se réfugia dans les latrines de l'établissement, à l'abri des regards. Face à la lunette béante, elle prit alors conscience de l'état d'hypnose dans lequel sa passion l'avait jetée. Le commerce des sens l'attendait à la sortie des classes ; et Camille était trop entière pour se dissimuler les conséquences de cette incartade. Elle ébranlerait nécessairement sa tribu Sauvage. Elle enviait celles qui ont la ressource de mentir. Il lui semblait que, si elle y parvenait, son bonheur serait comme étouffé ; et puis, si elle se lançait dans l'adultère, ce n'était pas pour en jouir les dents serrées.

La sonnerie des cours retentit dans les mornes couloirs du lycée. Il était l'heure. Elle ouvrit la porte, résolue à regagner son bercail ; mais à peine avait-elle foulé le plancher du corridor qu'une voix trop reconnaissable fit résonner son nom.

Elle opéra un demi-tour et se retrouva devant l'ingambe « Cravache » — c'est ainsi que les élèves nommaient l'acariâtre proviseur du lycée — juché sur ses jambes grêles et dont la raideur faisait saillir la pomme d'Adam.

Ils échangèrent des propos anodins et le proviseur lui emboîta le pas sur un rythme mécanique, comme si une clef invisible avait soudain remonté les ressorts de ses mollets. Camille ne pouvait plus fuir. Le destin faisait soudain irruption en la personne de Cravache qui l'accompagna jusqu'au pas de la porte de sa classe, louant sa ponctualité et célébrant son sens du devoir. Tel un groom au garde-à-vous, il actionna vigoureusement la poignée. Elle dut pénétrer dans la salle, sous son regard d'automate bien huilé.

— Je vous laisse, postillonna-t-il en claquant la porte derrière elle.

Les pupilles rivées au plancher, Camille prit place sur sa chaise. Elle se sentait dans la ligne de mire de Benjamin. Il était désormais au courant de ses dispositions. Sa robe noire parlait à sa place. Sans même lever les yeux, elle venait de lui céder. Des chuchotements remplirent l'air, tandis qu'elle égrenait à haute voix le chapelet alphabétique des noms des élèves.

— ... Poirier.

— Présent.

— Raterie... Raterie ?

Un silence qui sentait la craie et le tableau noir laissa passer un ange. Camille redressa la tête en direction de la chaise habituellement chauffée par le derrière de Benjamin.

Il était absent.

Elle fit une croix devant son patronyme et termina l'appel.

En effeuillant son courrier le lendemain matin, Camille trouva un mot de l'Inconnu qui la laissa sans voix. Sous son masque, Benjamin la remerciait d'avoir mis sa robe noire de lin. Il l'avait donc surprise, malgré son absence. Sans doute s'était-il dissimulé dans un recoin du lycée pour l'apercevoir sans être vu. Elle lui sut gré de n'être pas venu à son cours. Il lui avait ainsi évité deux heures de gêne oppressante.

Le second paragraphe de la lettre la fit tressaillir. Il la sommait d'aller l'attendre le jour même à dix-huit heures, dans la chambre numéro sept d'un hôtel exploitant le filon des couples non bagués ; faute de quoi, il mettrait un terme définitif à leur correspondance à sens unique.

Ce chantage n'était pas sans arranger Camille. Consciente de son manque d'audace, elle savait avoir besoin d'une petite dose de contrainte pour franchir les pas difficiles.

Afin d'atténuer la culpabilité qui commençait à sourdre en elle — car déjà sa décision de s'y rendre était irrévocable — Camille se constitua une thèse officielle, acceptable à ses yeux de mère de famille. Elle se fit croire qu'une fois l'adultère consommé, Benjamin ne présenterait plus guère d'attrait. Dans son idée, elle n'allait au rendez-vous que pour exaucer son désir, de façon à ce qu'ensuite tout pût rentrer dans l'ordre. Et puis, après tout, le Zèbre n'avait rien fait ces derniers temps pour qu'elle lui restât fidèle.

Camille se félicita de ne pas devoir affronter dans la journée la classe de Benjamin. Elle ne professait devant lui que le jeudi et le vendredi et la semaine était à peine entamée. Elle n'aurait pu soutenir son regard la déshabillant pendant qu'elle blanchirait de craie le tableau noir.

Au lycée, dans les couloirs, elle se faufila en relevant le col de son imperméable et passa une heure dans les toilettes, entre deux cours, pour ne pas risquer de le rencontrer. Cet abri lui paraissait plus sûr que la salle des professeurs dont il pouvait pousser la porte sans crier gare.

Sur le coup de dix-sept heures trente, Camille mit les voiles en direction du petit hôtel dont les volets mi-clos donnaient sur une ruelle peu fréquentée, à proximité de la gare de Laval. A la réception, elle fut gauche. Elle appréhendait à tout instant de rencontrer son boucher au bras d'une créature pulpeuse. Le patron au crâne luisant de sueur finit par lui tendre la clef du paradis, celle de la chambre réservée par l'Inconnu, en lui adressant un coup d'œil égrillard. Elle balbutia un remerciement trop poli, s'agrippa à la rampe poisseuse de l'escalier, gravit les marches jonchées de mégots et s'engagea à l'aveuglette le long d'un corridor où il faisait nuit.

Dans les chambres, des couples anonymes râlaient, soupiraient, gémissaient. Les cloisons bon marché servaient plus de caisses de résonance que d'isolateurs. Ce bourdonnement copulatoire était traversé de voix étouffées dont les exigences semblaient insatiables.

Troublée par cette symphonie de halètements et de grincements de sommiers, Camille trouva enfin l'interrupteur, glissa sa clef dans la serrure de la chambre sept et referma furtivement la porte derrière elle. Personne ne l'avait vue. Au fond de la pièce, derrière un paravent qui avait dû être blanc, il y avait un bidet et une serviette encore immaculée. Elle s'étendit sur le lit et reprit son souffle en respirant deux ou trois fois. Il était dix-huit heures.

Trente minutes plus tard, elle était toujours seule sur la couverture grossière. Elle entendit des pas dans le couloir. Une voix fluette parvint jusqu'à elle, puis une autre au timbre de contrebasse. C'était un couple, sans doute venu s'aimer clandestinement. Ils pénétrèrent dans la chambre jouxtant celle où elle s'impatientait et titubèrent sur le pucier, quasiment séance tenante.

Emoustillée par l'atmosphère, Camille n'était plus qu'attente. Il y eut encore du passage dans le corridor obscur. Elle priait pour que ce fût Benjamin ; mais ce n'était que d'autres amants sans visage qui échouèrent dans les lits de l'étage.

Une démarche retint cependant son attention. Elle faisait légèrement grincer les lattes disjointes du couloir, comme s'il se fût agi de quelqu'un de frêle. Camille crut identifier la foulée de Benjamin. Les pas se rapprochèrent. Il y eut un silence ; puis on frappa.

— Entrez, lança Camille d'une voix mal assurée.

Une enveloppe fut alors glissée sous la porte. Camille se redressa, s'empara de la lettre et la décacheta fébrilement. Il était écrit : « Pas encore. »

Les pattes de mouche étaient bien celles de l'Inconnu.

Le lendemain, une nouvelle lettre pria Camille de retourner le jour même, toujours à dix-huit heures, dans la chambre numéro sept de l'hôtel borgne.

Comme hypnotisée, elle s'y rendit avec ponctualité. Le petit patron ruisselant de sueur aigrelette lui tendit à nouveau la clef et la laissa monter seule.

Elle eut droit aux bruits de rut dans le corridor sombre, croisa un couple trop bien recoiffé et pénétra dans la chambre réservée.

Cette fois-ci, elle ne se ferait plus prendre au dépourvu. Elle ne laisserait pas repartir l'Inconnu sans avoir vu sa gueule d'amour de lycéen. Dès qu'il frapperait, elle ouvrirait la porte et le happerait avant qu'il pût filer ; mais tout en patientant, Camille songea avec nostalgie à la période qui allait se terminer dès qu'il apparaîtrait. Les lettres anonymes lui manqueraient. Son existence risquait fort de retomber dans les ornières du quotidien, dès lors qu'elle ne tremblerait plus en triant son courrier chaque matin. Elle ne pourrait plus jouir du fait qu'elle connaissait sa véritable identité, alors qu'il ignorait qu'elle savait.

Camille hésita un instant à se sauver, tant qu'il était encore temps, pour prolonger un peu cette romance qui depuis plus de trois mois donnait du piquant à son existence ; mais elle ne voulait pas courir le risque de ne plus recevoir de lettres, au cas où Benjamin mettrait ses menaces à exécution. Bien sûr, restait la solution de briser son silence en lui écrivant qu'elle n'était pas dupe de son anonymat. Mais elle avait là, dans les minutes qui allaient suivre, l'opportunité de finir en beauté, après une passade qu'elle espérait suffisamment torride pour lui tenir chaud au cœur quand, vieille et fripée, elle songerait à l'unique accouplement extra-conjugal de sa vie de femme mariée ; car elle était toujours résolue à rompre leur liaison au sortir de l'hôtel.

Un pas léger fit grincer les lattes du plancher du couloir. C'était Lui. Elle mit la main sur la poignée, résolue à intervenir s'il voulait à nouveau disparaître. Il s'arrêta et ne bougea plus, pendant quelques secondes. N'y tenant plus, Camille ouvrit la porte avec violence et se retrouva face au patron de l'établissement, plus humide que jamais, en train de remplacer l'ampoule morte d'un plafonnier de mauvais goût.

Percluse de confusion, Camille balbutia des platitudes et lui claqua la porte au nez ; puis elle s'allongea sur le lit pour reprendre ses esprits et son souffle ; quand soudain elle vit la poignée remuer.

L'Inconnu apparut dans l'embrasure, masqué par une cagoule, croyant sans doute maintenir ainsi le mystère de son identité. Cette attention émut Camille. Elle n'en trouva Benjamin que plus troublant. Muet, il avança ses mains gantées et lui noua sur les yeux un bandeau noir qui la plongea dans l'obscurité. Un à un, les boutons-pression de son corsage sautèrent, avec une exquise lenteur. Frémissante, Camille se laissa dévêtir entièrement. Il ôta ensuite ses gants et frôla ses hanches. Enfin, elle sentait les belles mains de Benjamin sur sa peau, arpentant son anatomie du bout des doigts. Sans un mot, il la couvrit de caresses tremblées, interminables et enveloppantes.

Camille essaya de le déshabiller; mais il lui fit comprendre qu'il pouvait s'acquitter lui-même de cette tâche et s'exécuta. Il la repoussa à nouveau quand elle tenta, à tâtons, de l'attirer contre son sein. Elle comprit alors que Benjamin voulait éviter tout contact susceptible de l'identifier. Conciliante, elle renonça à ses velléités de câlins.

Ils firent l'amour deux fois, d'une manière peu recommandée par les missionnaires. Au prix d'acrobaties palpitantes et scabreuses, ils atteignirent l'un et l'autre les stratosphères du septième ciel sans que Benjamin eût jamais pesé sur Camille. Le diable dut y prendre du plaisir.

Rassasiée, elle l'entendit remettre ses vêtements et s'éclipser lestement. Après ce corps à corps, elle savait déjà qu'elle succomberait s'il la convoquait à nouveau. Elle était prête à affronter cent fois les clins d'œil vicelards du patron de l'hôtel et la crasse de la chambre sept pour retrouver la volupté de ces étreintes aveugles. Seule, elle dénoua son bandeau et enfila son chemisier.

Camille découvrait une seconde Camille Sauvage, longtemps mise entre parenthèses. Pour la première fois, elle venait de s'éloigner de l'idée convenue qu'elle se faisait de son existence. Elle éprouva un formidable sentiment de liberté qui dépassait, et de loin, la libre disposition de son corps. Le monde lui paraissait soudain plus large. Camille s'apercevait avec effroi qu'elle était encore inexplorée, vierge en quelque sorte. Elle n'avait jusqu'à présent joué d'elle-même qu'en suivant des partitions composées par d'autres, sans jamais s'aventurer au-delà de ses peurs. Elle avait désormais soif d'improviser sa vie.

Dès le lendemain, une lettre anonyme proposa à Camille un rendez-vous au Café de l'Ouest, le bar où les amoureux débutants de Laval venaient roucouler après les classes. « Vous me reconnaîtrez à mon écharpe rouge », écrivait l'Inconnu.

Sans hésiter, dix minutes avant l'heure dite, Camille prit la route. Elle voulait s'ouvrir à Benjamin des bouleversements qui s'opéraient en elle.

D'humeur gaillarde, elle décocha des sourires coquins à deux ou trois jeunes hommes dans les rues de la ville — ce qu'elle n'aurait jamais osé faire auparavant — et gara sa voiture à proximité du bar. Elle était décidée à vivre désormais tout haut, à tutoyer ses peurs. Au diable les appréhensions qui bridaient ses envies !

Arrivée à destination, elle balaya d'un regard oblique la terrasse du Café de l'Ouest. Quelques donzelles se pâmaient devant un parterre de sémillants garçons qui jouaient les avantageux ; mais il n'y avait ni Benjamin, ni écharpe rouge. L'air dégagé, elle poussa la porte vitrée et se fraya un passage parmi les clients qui s'alcoolisaient en glosant sur les mérites de l'équipe locale de football. Les yeux atteints par la nicotine ambiante, elle cilla et soudain ravala sa salive.

L'écharpe rouge était bien là, flottant au cou du Zèbre qui paraissait l'attendre. Avec une familiarité composée, il lui sourit et, comme encombré par sa maladresse, lui adressa un petit hochement de tête en signe de bienvenue.

Un instant, Camille voulut croire qu'il avait intercepté la lettre de l'Inconnu et qu'il était venu à la place de Benjamin ; mais il la regardait avec un trouble si manifeste et une gaucherie si inhabituelle chez lui, qu'elle comprit avec effroi qu'il ne s'agissait plus d'un jeu. Elle avait bien rendez-vous avec le Zèbre.

Une bouffée de honte la submergea, l'ébranla et manqua de la faire défaillir. Elle se sentait comme nue, violée, intégralement démasquée. Le Zèbre connaissait — et pour cause — la raison de sa présence dans ce bistrot. Il savait qu'elle l'avait trompé, corps et âme. Qu'elle l'eût cocufié avec lui-même ne changeait rien à l'affaire ; sinon qu'il avait récupéré d'une main ce qu'il avait perdu de l'autre. Les bras pantelants, elle se laissa choir sur une chaise, face à son amant devenu soudain légitime. Cramoisi, le Zèbre vida son verre d'un trait et demeura longtemps muet, penaud, craignant de rencontrer les yeux de Camille.

Pendant des mois, elle s'était fardée et vêtue pour lui, à son insu, comme elle ne l'avait plus fait depuis quinze ans. Par son jeu de miroirs sans tain qui lui permettait de surprendre sans être vu, d'écrire sans être reconnu et de lui faire l'amour incognito, le Zèbre était parvenu à réveiller leur passion ratatinée par les ans ; car il ne s'était pas écoulé de jour depuis le début de cette aventure sans qu'elle pensât à l'Inconnu. Il logeait à présent dans son cœur, tout comme le Zèbre dans les premiers temps de leurs tribulations conjugales.

Ahurie par l'étendue du quiproquo, Camille se souvint alors de son désarroi lorsque Gaspard avait poussé la supercherie jusqu'à lui enjoindre de déchirer ses propres lettres. Il n'avait reculé devant rien. Un court moment, elle le soupçonna de n'être qu'un faussaire, un manipulateur incapable d'émotions franches. Elle eut le sentiment qu'il s'était joué d'elle comme une araignée de sa proie, tissant autour d'elle une toile invisible, lui donnant ainsi un illusoire sentiment de liberté alors qu'il ne cessait de la surveiller. Elle n'apprendrait d'ailleurs que bien plus tard les dispositions qu'il avait prises pour poster de Laval une lettre décrivant sa robe, tandis qu'il se trouvait à Toulouse. Mais si le Zèbre était un démon, il n'en était pas moins un ange à ses yeux.

Camille s'imaginait à présent connaître le double fond de sa personnalité, son visage intérieur, à travers les missives pleines d'attention de l'Inconnu, sans se douter un instant que le Zèbre s'était montré dans ces lettres sous un jour avantageux afin de la charmer. Sa duplicité allait plus loin qu'elle ne pouvait le concevoir. Elle ignorait encore jusqu'où pouvait le mener son goût immodéré pour les stratagèmes.

Sans préambule, Gaspard porta la main de Camille à ses lèvres. Il ne savait comment lui dire qu'il avait ourdi cette machination parce qu'il pressentait qu'après quinze ans de lit commun Camille prendrait tôt ou tard un amant. Plutôt que d'attendre avec résignation ce coup de canif dans le contrat, il avait préféré prendre les devants et lui offrir une aventure dont il profiterait légalement.

Aujourd'hui, le Zèbre espérait avoir ressuscité leur passion ; mais Camille éprouvait une déception teintée d'amertume. Il ne lui aurait pas déplu que le séduisant Benjamin fût l'Inconnu. Son regret s'atténua cependant un peu lorsqu'elle prit conscience de l'immensité de l'amour que lui vouait le Zèbre. Elle s'étonna même, avec une pointe de fierté, qu'un homme pût dépenser pour elle autant d'énergie, de temps et d'ingéniosité. Flattée, elle lui caressa la main.

Camille ne se doutait pas qu'elle n'avait vécu que les hors-d'œuvre du programme que lui réservait le Zèbre. Maintenant que leur passion était entrée dans les hautes sphères, il ne la laisserait plus perdre de l'altitude.

Pour consolider leur amour, Gaspard proposa à Camille de faire chambre à part. Stupéfaite de son opiniâtreté, elle n'eut pas le cœur de protester. On expliqua à la Tulipe et à Natacha que leur père souffrait d'insomnies qui importunaient leur mère et, le soir même, il fit son lit dans la chambre d'amis, à l'autre bout du corridor de l'étage. Ainsi quand l'un des deux tourtereaux aurait une envie de câlins, il n'aurait qu'à se lever, franchir le couloir et rejoindre l'autre dans son nid ; mais très vite le Zèbre perfectionna cette procédure.

Il s'était aperçu que les lattes du plancher du couloir étaient disjointes et que, sous l'effet de son poids, elles faisaient vibrer l'air d'un son qui traversait les cloisons. Si elle dressait bien l'oreille, Camille pouvait donc à l'avance être prévenue de son arrivée.

Le dessein du Zèbre était de lui faire retrouver l'émotion qu'elle avait éprouvée quand, dans la chambre sept du petit hôtel, elle avait entendu pour la première fois les grincements provoqués par les pas de l'Inconnu dans le couloir.

Aussi prit-il un malin plaisir à faire chanter le parquet, les nuits suivantes. Mais Camille se montra peu coopérante. Afin de fermer l'œil, elle enfonça du coton tassé dans ses oreilles tandis que le Zèbre s'évertuait des heures durant à faire grincer les lattes du corridor. Une fois, il entra et la trouva perdue dans ses songes, ronflant comme une bienheureuse. Vexé, il regagna son lit dans une grande agitation et ne trouva le sommeil que fort tard.

Ce n'est qu'au bout d'une semaine que Camille consentit à dégager ses oreilles. Elle espérait avoir dissuadé le Zèbre ; mais peu après s'être couchée, elle entendit de nouveau des craquements dans le couloir. Irritée, Camille était sur le point de replacer ses cotons quand un frisson la troubla et la porta à réfléchir. Après tout, il ne lui coûtait rien d'entrer dans le jeu du Zèbre ; quitte à feindre de dormir s'il pénétrait dans la chambre, car elle ne voulait plus passer pour une cruche.

Dans l'obscurité du corridor, il progressa vers la porte de Camille, rebroussa chemin, tergiversa et finalement revint. Cette valse hésitation agissait sur elle comme une caresse frôlée, indécise et pourtant précise. L'attente lui procurait une extase plus grande que l'acte espéré qui, d'ailleurs, n'eut pas lieu ; car le Zèbre poussa le tourment jusqu'à retourner dans sa chambre.

Ce manège s'éternisa. Au bout du troisième ou quatrième soir, Camille escomptait toujours qu'il finirait par succomber à l'aiguillon de la chair. Il ne l'avait pas touchée depuis presque dix jours. C'était sans compter avec le plaisir qu'il tirait de la savoir dans l'expectative. Debout dans le couloir, il la tenait enfin à sa merci et jouissait de vivre aussi intensément qu'un personnage de théâtre. Un instant, il n'avait rien à envier à Roméo. Le va-et-vient des grincements se prolongea des semaines entières.

Plus le temps passait, plus Camille perdait pied. Elle prenait les craquements de la charpente pour des signes de la venue du Zèbre et, par deux fois, se rua dans le couloir pour se casser le nez sur le néant. Elle avait rêvé ; et comme

Gaspard lui avait formellement interdit de surgir dans la chambre de l'autre — car c'eût été la ruine du mécanisme qui maintenait leur désir intact — elle n'eut plus qu'à retourner se glisser seule entre ses draps. Son ventre incendié la brûlait, comme l'envie de gifler le Zèbre. Le ressentiment qu'elle nourrissait envers lui était d'autant plus fort qu'elle se sentait prisonnière de la concupiscence qu'il éveillait en elle.

Une nuit, Gaspard s'approcha de sa porte. Aussitôt, la rancune de Camille s'évanouit. Elle baissa ses paupières et s'efforça de domestiquer son souffle. Tout en espérant qu'il viendrait se couler à ses côtés, elle tenait à ce qu'il crût qu'elle ne l'avait pas attendu. Fierté oblige. Mais elle savait le Zèbre susceptible d'évacuer les lieux à la dernière seconde. Même s'il pénétrait dans la chambre, tant qu'il ne l'aurait pas étreinte, rien n'était acquis.

Effectivement, lors de sa première apparition, il franchit le seuil, contempla longuement son épouse et sortit en fermant la porte derrière lui. La seconde fois, révoltée et mise en combustion, elle l'attrapa par le collet et le viola sauvagement sur la descente de lit.

Par la suite, Camille se montra plus calculatrice. Elle reprenait le pouvoir et, en manière de revanche, faisait les cent pas dans le couloir pendant une partie de la soirée. Camille s'imaginait ainsi narguer le Zèbre sans se rendre compte qu'elle se conformait à la logique de son jeu diabolique. Sous sa couverture, il jubilait.

Il arriva qu'un soir le Zèbre ne rentra pas. Sur le coup de dix heures, Camille expédia au lit la Tulipe et Natacha en leur assurant que « Papa avait appelé pour prévenir qu'il était retardé » ; mais Papa n'avait pas daigné téléphoner. Puis elle affecta une attitude insouciante.

Camille se réfugia dans un roman sans entrer dedans, feuilleta des magazines dits féminins et surveilla, non moins fébrilement, les différentes chaînes de télévision. Par chance pour ses élèves, elle n'avait pas de copies à corriger ; sinon les notes auraient eu du mal à décoller.

Elle se doutait bien que le Zèbre n'était ni dans un lit d'hôpital — la gendarmerie l'aurait avertie — ni dans celui d'une créature irrésistible ; car s'il avait eu une maîtresse, une vraie comme au théâtre, il n'aurait pas découché sans s'expliquer ou alors il l'aurait vue en douce. Il lui semblait infiniment plus probable que Gaspard avait en tête de la rendre jalouse ; et c'était cela qui mortifiait Camille.

Mais les ficelles lui paraissaient trop grosses. Le Zèbre avait dû prévoir qu'elle flairerait le piège et trouverait le chiffon trop rouge pour foncer dedans tête baissée. Camille se perdait en conjectures.

Ce qu'elle ne voulait plus en tout cas, c'était être de cire. Aussi décida-t-elle de prendre quelques distances avec cette affaire et de ne lui poser aucune question à son retour.

Mais lorsque le Zèbre revint, le lendemain à l'aube, il n'attendit pas d'être interrogé pour se répandre en explications. Il réveilla Camille vigoureusement à six heures et demie du matin et lui déclara qu'il avait passé la nuit à cuver une biture avec Alphonse, chez le père Jouvin, un ami de ce dernier qui distillait sa gnole personnelle et qui, aux dires de ces acolytes, savait lever le coude. Ivre mort depuis sept heures du soir, le Zèbre n'avait soi-disant pu téléphoner.

— ... je n'arrivais même plus à viser les touches de l'appareil ! beugla-t-il.

Camille le pria poliment de déguerpir pour la laisser terminer sa nuit ; ce qu'il fit. Naturellement, elle ne retrouva plus le sommeil. Cette histoire d'ivrognes la tracassait.

En partant pour le lycée, elle fit un crochet chez Alphonse et Marie-Louise. Ils n'étaient pas chez eux, c'est-à-dire dans l'unique et vaste pièce de leur fermette ; mais elle aperçut leurs silhouettes pliées en deux dans le potager. Ils repiquaient des laitues comme des Chinois voûtés sur leur rizière. Ils parlèrent avec leurs mots colorés et brouillons de la veillée qu'ils avaient passée en famille, hier, après qu'une vache eut mis bas. Le Zèbre avait donc tout inventé.

Elle ne comprenait pas pourquoi Gaspard s'ingéniait à lui masquer la vérité. Il devait s'attendre à ce qu'elle vérifiât ses dires ; à moins qu'il lui eût menti pour la rendre jalouse lorsqu'elle en prendrait conscience. Camille brûlait de l'attraper par le col et de le secouer jusqu'à ce qu'il avouât ce qu'il tramait. Elle crevait d'envie de lui assener qu'elle n'était dupe de rien, qu'elle savait qu'il n'avait pas mis les pieds chez le père Jouvin cette nuit-là ; mais elle se retint. Elle ne voulait pas qu'il apprît qu'elle avait été trouver Alphonse. Il en aurait été trop satisfait.

Dans les semaines qui suivirent, il n'y en eut que pour une

certaine Anna, une avocate récemment rencontrée par Gaspard et qui, à l'entendre, partageait une bonne partie de ses repas d'affaires. Anna était soi-disant bien faite, sculpturale et douée d'une jugeote éblouissante. Le Zèbre avait des trémolos dans la voix quand il évoquait les faits et gestes de la jeune femme. Camille riait sous cape. Elle pressentait que tous ces déjeuners pris en tête à tête étaient plus fictifs que menaçants. L'existence même de ladite avocate lui semblait improbable.

Pour s'en assurer, elle décrocha son téléphone et appela Marie, la secrétaire du Zèbre. Marie devait avoir eu vent d'Anna si son patron gueuletonnait vraiment tous les deux jours avec elle.

— Allô, Marie ? Bonjour, c'est Madame Sauvage. Auriez-vous par hasard l'adresse d'Anna... une avocate qui travaille avec Gaspard ces temps-ci, je crois. Je voudrais lui envoyer des fleurs.

— Vous voulez parler d'Anna Mankoviecz ?

— Oui, c'est ça. Son nom est impossible...

— Un instant, je vous prie.

Ainsi, Anna existait. Camille songea que le Zèbre avait dû profiter de cette relation d'affaires pour tenter d'éveiller sa jalousie.

C'est donc avec sérénité qu'elle retrouva le lendemain l'alliance du notaire, soigneusement oubliée par ce dernier sur le rebord de leur baignoire, alors qu'il avait rendez-vous avec Anna ; du moins l'avait-il prétendu. Le procédé était un peu grossier. Trop heureuse de se jouer de lui à son tour, Camille décida de se comporter comme si elle n'avait pas remarqué l'alliance. Au retour du Zèbre, elle prit une douche et ressortit de la salle de bains sans émettre la moindre réflexion. Elle jubilait de le savoir dans l'expectative. L'anneau ne demeura pas longtemps sur le porte-savon. Sans doute Gaspard le récupéra-t-il avec dépit.

Camille cessa cependant de sourire le jour où le Zèbre se mit en tête de révolutionner leur alimentation, sous prétexte qu'Anna lui avait vanté les vertus d'un régime d'origine indo-californienne. Camille se refusait à nourrir ses enfants de granulés pour hamsters; quant à la salade cuite que Gaspard fit fermenter, elle la jugea tout juste bonne à purger les chats de Marie-Louise. La mascarade avait assez duré. Aussi somma-t-elle le Zèbre d'inviter à dîner cette avocate si friande de graines pour mettre les choses au clair. Elle se faisait fort de lui préparer un infâme brouet à base de pilpil concassé.

Il esquiva le piège en déclarant qu'Anna était en déplacement aux Amériques, en Californie justement, pour suivre un « séminaire nutritionnel » car « quelque part » elle en avait besoin, étant entendu que « le corps et l'esprit sont intimement associés dans un même vécu ». Depuis qu'il feignait d'avoir une liaison avec Anna, le Zèbre se gargarisait de mots creux et d'expressions dont le sens lui échappait. Il rotait également avec application, arguant que la rétention de gaz intestinal dérègle les flux d'énergie sexuelle. Anna lui avait tout expliqué, à l'aide d'une trilogie de proverbes chinois qu'elle tenait d'un gourou qui officiait dans le sud du Tibet. Bref, pour l'instant Anna se trouvait à Los Angeles en train de mâchouiller avec exaltation des racines de cactus et si son thème astral lui était favorable, elle y suivrait peut-être des cours d'entraînement à l'orgasme.

Camille reconnut bien là l'esprit fantasque du Zèbre et s'étonna qu'il l'imaginât assez crédule pour avaler ses fables; jusqu'en cette fin d'après-midi où, venue chercher le notaire à l'étude, elle surprit derrière une porte des propos

99

égrillards concernant l'anatomie d'Anna. Le Zèbre et Grégoire, son clerc, évaluaient les mérites respectifs de la croupe et du buste de la dame ; puis Gaspard se reprit et tança sa « mauvaise conscience » — c'est ainsi qu'il surnommait parfois son clerc — en lui rappelant qu'Anna lui était chère. L'avocate mangeuse de granulés n'était donc pas aussi inoffensive qu'elle l'avait pensé. Le Zèbre paraissait même lui avoir déjà prodigué quelques faveurs.

Lorsque Camille franchit le seuil du bureau, elle dissimula son trouble. Alors qu'elle s'était imaginée plus fine que le notaire, il l'avait roulée une fois de plus dans la farine en ne masquant, pour une fois, pas son jeu.

Elle aurait aimé avoir une explication franche avec Gaspard ; mais en ouvrant le dossier Anna, elle craignait qu'il ne la crût jalouse et ne voyait aucune raison de lui offrir cette satisfaction. Il lui fallait avant tout conserver son intégrité face au Zèbre ; d'autant qu'il avait peut-être commenté à dessein les formes d'Anna quand il avait entendu son pas résonner dans le grand hall de l'étude. Grégoire pouvait être de mèche. L'expérience lui avait appris qu'avec semblable animal, aucune éventualité ne devait être écartée.

Anna rapporta de son séjour en Californie des petits cadeaux qu'elle voulut offrir, via le Zèbre, à la Tulipe et à Natacha, sans doute pour tenter de les apprivoiser. Piquée par cette manœuvre scélérate, Camille subtilisa les présents avant que sa progéniture n'en vît la couleur. Les velléités coloniales de cette intruse finissaient par l'agacer. Elle était désormais prête à sortir ses griffes pour défendre son territoire et protéger ses petits des influences étrangères. Aussi fit-elle lambiner les choses quand le Zèbre reparla de convier Anna à dîner, comme Camille en avait elle-même émis le souhait.

Il insista à plusieurs reprises ; mais lorsque Camille voulut bien lui suggérer une date, la seule qui lui convenait en cette période d'examens, il l'informa qu'il ne se trouverait pas à Laval ce soir-là. Une importante succession devait le retenir à Paris pendant quarante-huit heures. Une fois de plus, la ripaille diététique fut ajournée.

Camille pressentait que ce périple dans la capitale ne serait pas uniquement consacré à limer les ongles d'héritiers cupides. Pour en avoir le cœur net, elle aurait aimé filer le Zèbre ; mais elle ne pouvait déserter sa classe à quelques semaines du baccalauréat ; et puis, s'il tenait vraiment à lutiner Anna, sa surveillance se révélerait vaine tôt ou tard ; si la trahison n'était pas déjà consommée. Plus elle y songeait, plus il lui paraissait évident qu'Anna partagerait la même chambre que Gaspard cette nuit-là, non pour réduire les frais d'hôtellerie mais bien pour mettre en pratique ses fameux cours d'entraînement à l'orgasme.

Face à cette nouvelle épreuve, Camille éprouvait de la lassitude plus que de la douleur. Le surmenage amoureux que lui avait imposé le Zèbre pendant de longs mois l'avait éreintée. Saturée de grands sentiments, elle n'aspirait plus qu'au repos ; mais elle savait que l'énergumène n'écouterait pas ses demandes d'armistice. La paix des ménages était pour lui synonyme de déroute. Il n'entendait la mélopée de l'amour que dans le fracas des combats. Aujourd'hui, elle en avait soupé de cette guerre de positions.

Le jour du départ pour Paris, Camille eut cependant un dernier sursaut. Elle décida de ne pas faciliter la tâche au Zèbre, par pur plaisir. Elle lui annonça à la dernière seconde qu'elle le conduisait à la gare de Laval. Ainsi, s'il devait y retrouver Anna, elle connaîtrait la satisfaction amère de les confondre. Le Zèbre la remercia chaleureusement et lui répondit qu'il pouvait s'y rendre seul ; mais elle insista avec véhémence. A bout d'arguments et mal à l'aise, il dut accepter.

Gaspard essaya de se défaire de Camille devant la station de chemin de fer mais, tenace, elle ne le quitta pas jusqu'à ce qu'il fût installé dans son wagon, tout en surveillant les voyageuses à qui il aurait pu adresser un coup d'œil de connivence ; mais, manifestement, Anna ne rôdait pas alentour. Camille donna au Zèbre le baiser du traître, sauta sur le quai et la rame s'ébranla.

Ravie de son initiative, elle exultait ; car si Anna n'était pas venue à la gare, c'est qu'ils devaient se rejoindre chez elle, à Laval. Voilà pourquoi le Zèbre s'était montré plein d'embarras lorsqu'elle l'avait accompagné jusqu'à sa place.

Effectivement, dans le train, Gaspard fulminait. Il n'avait jamais eu l'intention de se rendre à Paris. La succession qu'il devait soi-disant y régler n'était qu'une chimère de son invention, tout comme sa liaison avec Anna qui n'était pas sa maîtresse mais celle de Grégoire.

Gaspard avait concocté cette machination en désespoir de cause, pour attiser la jalousie de Camille. La tromper pour de bon ne l'avait plus effleuré depuis sa liaison fugace avec Mathilde Clarence. Il croyait plus que jamais en sa femme et regardait cette incartade, comme ses amours révocables de jeunesse, avec les lunettes du mépris.

Le Zèbre descendit du train à la première station, au Mans. Il y passa la nuit dans un hôtel qui suintait la tristesse et ne repartit pour Laval que le lendemain, respectant ainsi les délais de son mensonge.

Gaspard espérait retrouver une Camille fort agitée. Elle n'avait jusqu'à présent manifesté aucune jalousie ; sa résistance passive commençait à l'irriter. Il pronostiquait cependant qu'elle craquerait sous peu. Cette nuit prétendument passée dans les bras d'Anna avait dû faire son œuvre.

A la gare de Laval, il monta dans un taxi.

— Où va-t-on, m'sieur ?

— A Sancy, la Maison des Mirobolants, vous connaissez ?

— C'est vous le notaire qui fabriquez des fausses pièces de cinq francs ?

Et la discussion de rouler au même train que le taxi, et le chauffeur d'enclencher son grignoteur qui afficha une somme rondelette à l'arrivée. Flatté d'avoir été reconnu, le Zèbre gratifia le conducteur d'un pourboire conséquent ; puis il remonta l'allée sombre de tilleuls qui conduisait à la maison. Par-dessus les arbres en fleurs, une masse de nuages pesait sur le ciel. Il reconnut le chant d'un merle amoureux ; mais aucune version femelle de l'oiseau ne lui répondit.

Gaspard gravit avec quiétude les marches du perron. Il ignorait encore ce qu'il aurait dû pressentir s'il avait eu la cohérence d'un personnage de roman ; mais le Zèbre avait la légèreté des hommes créés par Dieu et non par un auteur.

Dans l'entrée, le Zèbre trouva une lettre de Camille, posée sur le carrelage.

« Gaspard,

« Je te quitte parce que je t'ai compris. Je te quitte pour que nous ne devenions jamais un vieux couple. Je te quitte par amour, avant que nos sentiments se figent en habitudes. Je te quitte comme on sort du cinéma pour ne pas voir mourir le héros. Je te quitte comme on refuse de voir la dépouille des défunts qu'on a aimés pour conserver l'image de leur regard lumineux. Je te quitte parce que l'amour est poète et que les poètes meurent jeunes. Je te quitte parce que Roméo et Juliette ne peuvent fêter leurs noces d'argent. Je te quitte pour te garder tel qu'en ta beauté folle de cette nuit où tu m'es apparu dans une cage d'escalier, vêtu d'une serviette.

« Gaspard, nous ne vieillirons jamais.

« Camille. »

Camille l'avait compris ; mais, plus téméraire que lui, elle allait jusqu'au bout de son rêve et, du même coup, le prenait à son propre jeu. Cette retraite laissait leur histoire intacte, hors des atteintes du temps, tout en protégeant Camille. Il y avait urgence. Ces mois de corrida l'avaient exténuée.

Ahuri, le Zèbre voulut d'abord voir une ruse dans cette fuite. Il se félicita même que sa femme prît enfin des initiatives pour entretenir leur flamme. Mais il déchanta vite en visitant le premier étage. Les chambres de Natacha et la Tulipe avaient été vidées, nettoyées. Plus un lapin en peluche, plus un livre de classe, plus une gomme.

Le Zèbre prit alors conscience que l'exode des siens n'était pas une plaisanterie. Affolé, il se rua chez Alphonse et Marie-Louise, remua ciel et terre et finit par apprendre que Camille s'était repliée chez sa vieille mère. Quinze minutes plus tard, il foulait le paillasson de belle-maman, au cinquième étage d'un immeuble cossu du centre lavallois. Mais il eut beau sonner à tire-larigot et invectiver la rombière septuagénaire, la porte resta close.

— Camille! hurlait-il sur le seuil, au grand dam de la voisine de palier qui, manifestement inquiète, donna de l'intérieur un second tour de clef à sa serrure.

Devant l'absence de réaction, Gaspard confessa sa traîtrise :

— Camille! Je ne suis pas l'amant d'Anna. C'est la maîtresse de Grégoire. Je voulais seulement te rendre jalouse.

Dans la seconde, la porte s'ouvrit. Camille apparut, roulant des yeux furibonds.

— C'est vrai, ça? lâcha-t-elle froidement.

— Oui, c'est vrai que c'était faux. J'ai monté cette histoire de toutes pièces.

— Mais c'est presque pire...

Le Zèbre pénétra de force dans l'appartement, bouscula sa belle-mère courte sur pattes qui se réfugia en bêlant dans la cuisine et s'aperçut que leurs petits n'étaient pas là. Reprenant son souffle, il tenta de ramener Camille à plus de raison ; mais rien n'y fit. Elle maintint sa décision, arguant que son départ était la seule issue s'il voulait vraiment que le temps cessât de miner leur couple. Au passage, elle lui cracha à la figure sa haine de ses procédés et jura sur plusieurs têtes, dont la sienne, qu'elle ne serait plus jamais le jouet de ses facéties.

Alors, désespéré, le Zèbre entrouvrit son cœur, en s'imaginant être authentique :

— T'es-tu au moins demandé quel aiguillon m'a poussé à agir comme je l'ai fait ? Pourquoi je n'ai reculé devant rien ? Parce qu'il y a six mois, je t'ai retrouvée exsangue à l'hôpital. J'ai compris alors qu'il y avait urgence à s'aimer avant que la mort ne nous sépare. Depuis ce soir-là, chaque fois que tu t'endors j'ai l'impression que tes yeux ne vont plus se rouvrir, chaque fois que tu me quittes je me dis que c'est peut-être la dernière fois que je te vois. Je sens ta vie suspendue à un fil. Sais-tu seulement que je collectionne tes ongles et tes cheveux pour conserver des preuves de ton passage terrestre ? Sais-tu pourquoi j'ai fondu nos deux mains en plomb ? Pour qu'elles restent unies à jamais.

Stupéfaite, Camille recula d'un pas ; tandis que le Zèbre jouissait, malgré la gravité de la situation, de lui avoir révélé son comportement clandestin ainsi que les sentiments qu'il s'efforçait de nourrir depuis des mois. Il croyait désormais dur comme fer à son personnage hanté par la mort ; mais il se devait à présent d'abattre complètement son jeu pour tenter de reprendre Camille. La sincérité est parfois l'habileté suprême. Avec la conviction de l'avocat qui défend sa tête, il poursuivit sa tirade :

— T'es-tu demandé pourquoi je t'ai joué une telle comédie ? Parce qu'à quarante ans tous les couples sont ratatinés. Regarde autour de nous. Seuls des procédés exceptionnels pouvaient nous permettre de réussir là où tout le monde échoue. Par le jeu, j'ai passionnément essayé de refuser les règles de la réalité pour imposer les miennes. J'ai fait ce que j'ai pu pour que notre vie soit aussi intense que celle des personnages de théâtre, de roman ou de cinéma. Camille, j'aurais voulu te rencontrer dans une pièce de Shakespeare et mourir quand le rideau tombe pour ne jamais quitter les planches. Comprends-tu cela ? Je ne sais pas t'aimer autrement. Pardonne mes tâtonnements. Je n'avais aucun modèle à imiter. Est-ce ma faute si notre culture n'offre pas d'exemple de mari reconquérant sa femme ? lança-t-il en fondant en larmes.

Ses sanglots l'empêchèrent d'aller jusqu'au bout de ses aveux. Il n'évoqua pas son sentiment d'échec et son ambition de faire un chef-d'œuvre de leur vie conjugale. Il ne dit mot de sa frustration de se sentir sans talent particulier.

Le visage fermé, Camille demeura quelques instants muette, tremblante. Elle était bouleversée. Pour la première fois, le Zèbre venait de se livrer, avec ses craintes et ses blessures. Dieu qu'elle l'aimait ! Mais dans le même temps, un sentiment d'épouvante l'envahissait. Elle se voyait morte dans ses yeux. Dieu qu'il lui faisait peur. Et puis, la lassitude la gagnait. Gaspard l'épuisait.

— M'aimes-tu encore ? demanda-t-il tout à trac, avec un calme terrible.

— Oui, hélas.

— Mais alors...

— Mais alors tu es insupportable..., murmura-t-elle.

— Tu vas pouvoir vivre sans moi ? demanda-t-il sans humour.

— Je crois.

— Eh bien c'est ce que l'avenir dira, parce que moi, je ne peux pas.

Sur ces mots, le Zèbre saisit l'espagnolette de la fenêtre, l'ouvrit et se précipita dans le vide, sans faire de commentaire. Camille entendit un cri déchirant suivi d'un bruit mat et sourd, puis plus rien, le silence.

Pétrifiée d'horreur, Camille resta un moment immobile, les yeux écarquillés, fixant un invisible horizon. Elle imagina avec épouvante le visage du seul homme qu'elle eût jamais aimé, fracassé, éclaté, émietté, ses traits brisés et son cerveau gisant près du caniveau. Dans quelques instants, les hurlements des sirènes allaient remplir la rue. Le décès serait officiel, irrévocable aux yeux des hommes. Elle se recroquevilla, comme pour conserver au creux d'elle-même ce secret qui les liait encore dans une dernière intimité. Pêle-mêle, elle songea à leur première nuit d'amour, aux mots qu'elle devrait dire pour annoncer la mort de leur père à Natacha et à la Tulipe, aux deux alliances qu'elle porterait désormais à son doigt, tandis que des spasmes la transperçaient ; quand soudain une voix d'outre-tombe la fit tressaillir :

— Tu vois que tu ne peux pas vivre sans moi.

Elle releva la tête.

Il était là, dans l'embrasure de la fenêtre.

Le Zèbre avait sauté sur le balcon du dessous, en contrebas, et non dans le vide. Ravi de son simulacre de suicide, il venait de remonter en escaladant la gouttière à mains nues.

Cette fois, la coupe était pleine.

Camille ne lui fit aucune réflexion. Elle le mit poliment à la porte et se jura d'oublier jusqu'aux lettres de son nom, qui était aussi le sien.

II

Celui qui se perd dans sa pas-
sion a moins perdu
que celui qui a perdu sa pas-
sion.

SAINT AUGUSTIN

En dépit de sa résolution, Camille continua à se la couler douce dans le beau nom de Gaspard Sauvage. Pas question de réintégrer son patronyme de jeune fille. Trop de passé l'unissait encore au Zèbre pour envisager un divorce. Mais elle se garda bien de le revoir.

Les premiers temps, Camille eut la faiblesse de surveiller sa boîte aux lettres à chaque levée du courrier. Secrètement déçue, elle vit d'abord dans le silence de Gaspard une nouvelle ruse pour tenter de la reprendre ; puis elle se blâma d'entrer dans son jeu et s'astreignit à une relative indifférence.

Au terme d'une brève période de convalescence, elle quitta sa mère avec ses enfants et élut domicile dans un petit appartement clair, tout en fenêtres. Les subsides que le Zèbre leur alloua lui permirent d'étoffer ses modestes revenus. Natacha et la Tulipe ne posèrent aucune question. Camille n'eut donc pas à mentir. Ils informèrent simplement leurs amis qu'il n'y aurait plus de goûters dans la Maison des Mirobolants. Devant leur mère, ils s'efforçaient d'être gais.

Camille se rééduquait. Depuis bientôt seize ans qu'elle n'avait plus fait un pas sans le Zèbre, elle réapprenait à marcher seule. Les débuts furent timorés et casaniers. Elle se repliait dans son appartement après ses cours. Assez vite, elle s'imagina être libre. Elle eut même l'impression d'improviser son existence en prenant des initiatives.

Pour marquer le coup, Camille livra son abondante chevelure aux ciseaux d'un porteur sain qui se prétendait coiffeur. Le résultat n'était pas sans rappeler ces balais qu'utilisent les ménagères pour récurer les chiottes. Camille était comblée. Elle venait d'enfreindre l'un des interdits du Zèbre, aux yeux de qui toute femme dont les mèches mesuraient moins de vingt centimètres était réputée chauve et soupçonnée de lesbianisme ; ce en quoi il ne faisait pas montre d'originalité.

Une fois, Camille avait évoqué à demi-mot l'éventualité d'une coupe sérieuse. Gaspard était sorti de ses gonds et avait introduit un thermomètre dans son derrière, pour prouver que cette idée lui donnait de la fièvre, en glapissant haut et fort que les coiffeurs étaient tous des pédérastes vengeurs cherchant à défigurer la gent féminine. L'affaire en était restée là. Camille n'avait pas récidivé ; mais désormais, l'oukase du Zèbre lui paraissait sans valeur. Elle ne voyait pas qu'elle continuait à se mouvoir par rapport à lui. Ils étaient trop mariés pour qu'une séparation de corps pût démêler leurs esprits.

Après l'euphorie des débuts, Camille connut des jours creux et moroses. Habituée aux assiduités du Zèbre, elle prit son absence de réaction avec amertume.

Elle se sentait démâtée, dérivant sur un fleuve d'ennui. Loin de l'extravagance de Gaspard, la vie était d'un calme plat. Aucune brise de fantaisie. Mais elle ne voulait à aucun prix retomber dans ses griffes. L'idée qu'il n'attendait que cela — car à ses yeux le mutisme du Zèbre ne pouvait relever que d'un calcul — la confortait dans sa résolution. Elle préférait encore frayer avec des êtres de plus faible calibre qui, eux, ne la mettaient pas en péril.

Toute une faune crut entrer dans la vie de Camille. Tous restèrent sur le seuil. Une Marie, secrétaire du proviseur du lycée, pensa avoir accès à son intimité, sous prétexte qu'elles échangeaient des balles de tennis deux fois par semaine. D'autres nourrirent de semblables illusions. Plus leur nombre croissait, plus elle se sentait esseulée ; jusqu'au jour où un flirt d'adolescence ressuscita, avec un divorce à son actif et une façon habile de ne pas brusquer les choses.

Entre naufragés, la complicité se renoua, à l'abri des regards de la Tulipe et de Natacha. Ce fut lui qui, le premier, effleura la main de Camille dans un restaurant. Les phrases leur vinrent, pleines de miel. Un instant, ils se firent croire qu'ils n'auraient pas dû se quitter jadis. Propos dérisoires qu'ils acceptèrent pour argent comptant. Nécessité oblige. Mais quand il fut question de s'allonger sur un lit, Camille se cabra et disparut.

Brusquement, elle avait pris conscience qu'elle ne pouvait se livrer à un homme qui ne la rêvait pas. Le Zèbre, lui, la suscitait, la révélait. Elle se reconnaissait dans ses yeux, s'écoutait dans ses paroles, se devinait habituellement dans ses fantasmes. Les qualités qu'il lui attribuait finissaient par germer dans son caractère, la vision qu'il avait d'elle la fécondait. Il aurait dit « marche » en indiquant un feu qu'elle aurait foulé la braise nu-pieds sans se brûler. Par contraste, les ébats que lui proposait ce divorcé charmeur lui avaient soudain paru bien tièdes.

De retour chez elle, Camille comprit qu'elle ne se résignerait jamais à enfourcher — si j'ose dire — un cheval de seconde catégorie pour échapper au regard tyrannique d'un amant d'envergure, Zèbre ou autre.

Ah, si seulement Gaspard s'y était pris avec plus de tact pour remonter le ressort de leur passion... Et dire qu'il aurait été si simple de purger leur vie quotidienne de leurs

115

habitudes, plutôt que de recourir à des manœuvres aussi funambulesques qu'inefficaces. Revenant sur leur passé, Camille s'étonna du relatif isolement dans lequel ils avaient vécu. En dehors d'Alphonse et de Marie-Louise, aucun ami commun n'était venu leur renvoyer d'eux-mêmes une image de couple. Ils n'avaient pas tissé ces liens extérieurs qui sont autant de points d'appui utiles pour traverser les périodes de turbulences conjugales ou celles de moindre ferveur. Sans doute cette manière de penser était-elle étrangère au Zèbre ; mais au moins aurait-il pu lui réserver de ces heureuses surprises qui parlent à l'imagination des femmes : l'emmener faire l'amour au dépourvu dans un hôtel de la côte normande ou rentrer au bout de quarante-huit heures, les bras chargés de fleurs, alors que son retour n'était prévu qu'une semaine plus tard. Toutes choses qui, on le sait, ravissent les ménagères les moins romantiques.

Mais non, le Zèbre n'avait rien su faire pour l'émouvoir. Le type même de l'élève besogneux qui n'obtient que des résultats navrants. Ses stratagèmes avaient précipité la ruine de leur mariage. Leur désarroi était son œuvre.

Meurtrie, Camille n'aspirait plus qu'au repos, loin des foucades de Gaspard. Mettre une distance entre elle et le monde, voilà ce qu'était désormais son programme.

Sa vie sentimentale se résuma vite aux émois que lui procuraient les romans d'amour du xixe siècle qu'elle se mit à consommer avec ardeur, comme dans les premiers temps de son adolescence. Cette multitude de passions contrariées, de bourgeoises languissantes et d'amants aux transports incontrôlés suffisait amplement à son cœur fatigué.

Resté seul, le Zèbre fit rapidement l'inventaire du sinistre. De Camille évanouie ne lui restaient que quelques ongles, des cheveux, un flacon de parfum, une robe démodée, des bas qui dans leurs plis retenaient son odeur prisonnière, des lettres et des photographies bien sûr, leurs mains enlacées coulées dans le plomb, ainsi qu'une cassette de répondeur téléphonique sur laquelle elle prévenait qu'il ne fallait pas l'attendre : « Mon chéri, je rentrerai tard ce soir. J'ai une réunion de parents d'élèves. » Maigre butin, chétif même, au regard de l'immensité de l'amour qu'il avait dilapidé dans cette aventure. Cent grammes d'ongles... Cent tonnes de peine l'accablaient quand il déambulait seul dans cette Maison des Mirobolants qu'il n'avait acquise que pour lui plaire.

Une fois, il se posta à la sortie du lycée Ambroise Paré pour l'observer à la dérobée, s'emplir de sa beauté. Toute la distance qui les séparait. Il ne recommença pas. Ses jambes imaginées sous la jupe soyeuse... Torture des souvenirs qui en vrac venaient battre sa mémoire, ressac infernal. Ses reins cambrés, ses seins blancs qui appelaient la main...

A force de mal vivre, Gaspard devint aveugle à la beauté des choses. Cécité du désespoir. Doucement, il gomma les couleurs des jours et oublia sa fantaisie. Fini les objets qui ne servaient à rien, sinon à rire. La machine à fumer fut mise au rebut. Il renonça également à la construction de l'hélicoptère en bois et refusa, malgré l'insistance d'Alphonse, d'aller hongrer le Claque-Mâchoires mâle pour fêter la Saint-Sylvestre. Administrer des lavements à son clerc ne le mettait même plus en joie. De mois en mois ses affaires déjà piteuses achevèrent de pourrir sur pied. Son unique bonheur semblait être de s'esquinter. Ses frères — également notaires — reprirent une partie de la clientèle de son étude pour qu'elle restât dans le giron familial.

Un dimanche matin qu'il badaudait le long d'une rue commerçante, Gaspard aperçut Camille de dos. Elle taillait une bavette avec une poissonnière au caquet bien affilé qui brassait la crevette d'un geste machinal. Une brusque chaleur lui empourpra le visage. Il se retourna, la regarda dans le reflet d'une vitrine et s'aperçut alors qu'il s'agissait d'une autre, d'une femme dont la silhouette et la chevelure semblaient décalquées sur celles de Camille.

Cet événement laissa le Zèbre songeur. Un instant, il avait oublié l'océan d'affliction dans lequel il se noyait depuis des mois. Retrouver ces quelques secondes de félicité douloureuse devint rapidement l'unique objet de ses pensées. Une idée extravagante finit par germer et monter en graine dans son esprit. Il était prêt à tout pour atténuer sa détresse.

Muni d'une mèche des cheveux de Camille, il se rendit dans une boutique de prothèses capillaires et acheta une perruque pour femme de la même couleur ; puis il se saisit d'une paire de ciseaux et lui donna tant bien que mal l'apparence de la coiffure de Camille, à l'aide de photos.

Ceci fait, il alla trouver une jeune femme connue à Laval pour facturer ses étreintes et lui expliqua ce qu'il attendait d'elle :

— J'aimerais que vous mettiez cette robe, ces bas et cette

perruque, que vous vous parfumiez avec ce flacon et que, ce soir vers onze heures, vous veniez me retrouver chez moi.

— Pour la nuit, c'est...

— Non, non, je n'ai nulle envie de vous toucher. Je voudrais simplement que vous fassiez semblant de revenir d'une réunion de parents d'élèves, comme si vous étiez professeur. Vous comprenez ?

La fille eut un regard au velours usé, esquissa un sourire empreint de tristesse et acquiesça. Comprendre et louer des rêves, c'était son métier. Depuis qu'un marlou lui avait assigné un réverbère, toute la souffrance du monde était venue se soulager entre ses jambes. Il faut bien que les corps parlent quand on ne trouve plus les mots. Les mots tendres, surtout.

Après être allé apéroter avec Alphonse, histoire de s'étourdir la conscience, le Zèbre s'en retourna chez lui passablement aviné. Il faisait déjà nuit.

Camille va venir, articulait-il à voix haute pour s'en convaincre, puis il se reprenait. Non, c'est une putain travestie en Camille, mon amour, mon ancien amour...

Comme prévu, il écouta les messages enregistrés sur son répondeur téléphonique. Il n'y en avait qu'un : « Mon chéri, je rentrerai tard ce soir. J'ai une réunion de parents d'élèves. »

Cette voix, il ne l'avait plus entendue depuis... Gaspard ne put interdire à son cœur de trépider dans sa poitrine et, submergé par son désir d'y croire, il s'abandonna à sa folie.

Il décida même de faire une surprise à Camille, de lui mitonner un dîner, oui, ils festineraient aux chandelles. Son allégresse nerveuse était telle qu'il brisa deux verres en dressant la table. Il s'activait fébrilement, fricassant un lapin pour la régaler — elle en raffolait — allumant un feu dans la cheminée, réécoutant le message téléphonique, sur

119

une musique braillante qui faisait vibrer les carreaux des fenêtres. Un moment transpercé par des éclairs de lucidité, il lampa une gorgée de cognac, récidiva, vida six verres. Plus l'alcool se mêlait à ses globules, plus il en était sûr, oui, elle allait venir.

Comme onze heures sonnaient, Gaspard commença à piaffer. Il s'étonna même que Camille ne fût pas déjà de retour.

— Les réunions de parents d'élèves ne se terminent pourtant jamais après dix heures et demie, s'entendit-il proférer.

Encore un verre et il la soupçonna de s'être servie de cet alibi pour rejoindre un amant, autre que lui cette fois. Mais il n'eut pas le temps de laisser sa jalousie s'épanouir.

A onze heures cinq, la porte d'entrée s'ouvrit.

Une caricature de Camille s'avança. Ses bas étaient filés, ses cheveux mal coupés, sa robe trop étriquée faisait saillir son volumineux fessier et, horreur de l'horreur, elle avait le sourire et les yeux d'une autre.

— Pardonnez-moi, murmura Gaspard, mais je crois que je vais souper seul. Vous pouvez rentrer chez vous. Voilà l'argent.

La fille palpa les billets et s'éclipsa. Le Zèbre demeura longtemps immobile, en proie au vertige. Non, le jeu ne le sauverait pas. On ne peut reconstituer la réalité à la façon d'un puzzle. Il avait péché par orgueil, comme avec Camille.

Les trimestres qui suivirent lui parurent une succession d'hivers. Décharmé de tout, il se mit alors à maigrir. Marie-Louise, qui n'osait l'admonester, essaya de surveiller son alimentation mais il s'ingéniait à sauter les repas, prétextant que sa dépense de bouche était excessive. Chaque matin, il se pesait pour s'assurer qu'il avait déjà commencé à disparaître et, toutes les semaines, sa balance lui certifiait que plusieurs centaines de grammes de lui-même n'existaient plus.

Saturé de chagrin, Gaspard déclarait à qui voulait l'entendre qu'une maladie mortelle le terrasserait bientôt. Il avait pris la vie en aversion et multipliait ses accès de toux avec un plaisir morbide.

Le Zèbre ne se ressaisissait que les week-ends, lorsque la Tulipe et Natacha venaient camper dans leur chambre d'antan. Marie-Louise lui imposait alors de ne rien laisser transparaître ; mais sitôt la page du dimanche tournée, il renouait avec ses démons.

Aucun désir ne l'éperonnait plus. Son anémie grandissante le confirmait chaque jour dans la certitude qu'il mourrait sans un cheveu blanc. La chiromancienne de son enfance ne s'était pas trompée. Sa ligne de vie n'était pas de celles qui donnent droit à une carte vermeil.

Un samedi matin, jour de ses huit ans, Natacha insista auprès de son père pour se rendre au marché de Laval. Elle avait exigé douze bouquets comme cadeau d'anniversaire et souhaitait choisir elle-même l'assortiment. Son idée était de refleurir le cimetière de Sancy. Cette perspective semblait la ravir plus que tout autre présent.

Le Zèbre et sa fille partirent donc tous deux au marché, sur le coup de dix heures. Natacha dévalisa le fleuriste, chargea sa cargaison dans les bras de son père et, tout à trac, lui lança :

— Pourquoi tu ne vis plus avec Maman alors que vous vous aimez ?

— Tu crois qu'elle m'aime encore ? bredouilla Gaspard, interloqué.

— Bien sûr.

— Comment le sais-tu ?

— Je le sais, se contenta-t-elle de répondre.

Puis Natacha ajouta, en jetant un œil sur l'étal du marchand de jouets :

— Si tu m'offres aussi un masque de Mickey, je te dirai pourquoi je le sais.

Le Zèbre céda au singulier racket de sa fille et fit l'acquisition de deux masques de son idole, un pour elle, un

122

pour lui. Avec empressement, elle plaça aussitôt le sien sur son visage enfantin,

— Alors ? reprit Gaspard.

Et Mickey de lui répondre .

— C'est ma tortue qui me l'a dit. Tu sais, elle me parle quand je l'écoute vraiment.

Retirant son masque, Natacha poursuivit :

— Maintenant dis-moi la vérité. Pourquoi vous n'habitez plus dans la même maison ?

Après un temps, le Zèbre murmura :

— Je crois qu'elle ne me supporte pas quand je joue.

— Eh bien moi c'est le contraire. Je t'aime parce que tu es le seul papa qui mette des masques de Mickey !

Sur ces mots, elle l'embrassa et lui plaqua l'autre masque sur la figure. Ce matin-là, les Lavallois purent voir déambuler sur le marché un père et sa fille. Ils avaient tous deux une drôle de tête de Mickey.

Deux ans de sommeil s'écoulèrent ainsi, durant lesquels Camille se contenta d'aimer ses enfants et de fréquenter les auteurs romantiques du siècle dernier. Elle demeura en jachère sans s'engager dans rien ni avec personne. Sans doute goûta-t-elle l'immobilité des jours, après la tourmente provoquée par le Zèbre.

Elle n'avait de ses nouvelles que par la Tulipe et Natacha qui continuaient de transhumer le week-end chez leur père. Prudente, elle les déposait à la grille du jardin et s'en retournait aussi prestement qu'elle était venue. Aux dires de ses enfants, Marie-Louise avait pris les rênes de la Maison des Mirobolants et veillait à la fois sur Alphonse et sur Gaspard.

Ce fut la Tulipe qui, le premier, prévint sa mère de la dégradation de la santé du Zèbre. « Il n'a pas l'air frais », avait-il lancé un soir à table, comme s'il se fût agi d'une sardine avariée. Les semaines suivantes, Natacha avait entonné le même refrain : « Il n'a vraiment pas l'air frais. » Camille avait d'abord haussé les épaules comme on fait le gros dos, en se demandant si Gaspard n'était pas en train de simuler une maladie pour essayer de la débusquer de sa retraite ; mais trois mois plus tard, le notaire ne semblait guère plus « frais », à croire qu'il était déjà rance, voire faisandé.

Un trimestre ne s'était pas écoulé depuis les premières remarques de la Tulipe lorsque Camille reçut la visite d'Alphonse. Il était blême et pas loquace pour un sou, au prime abord. Engoncé dans son costume du dimanche, il étouffait. Le calibre de son col de chemise paraissait inférieur à celui de son cou. Camille le pria d'ôter le cordon qui lui tenait lieu de cravate. Tel un marin pris dans un vent contraire, il se mit alors à tirer des bordées dans le salon, déboutonnant son col, avalant des mots, éructant des bribes de phrases inarticulées, balançant ses bras comme pour lutter contre un roulis imaginaire.

— Que se passe-t-il ? murmura Camille.

Et Alphonse de délivrer d'un coup l'homme désespéré qui piétinait en lui. Les traits brisés de douleur, il s'effondra sur une chaise et pleura. Il avait dû en contenir des sanglots mort-nés pour offrir un tel spectacle.

Muette, Camille hésitait à s'alarmer. L'état d'Alphonse ne pouvait être téléguidé par le Zèbre. Quelque chose s'était passé ou allait se produire, un événement assez terrible pour arracher des larmes à Alphonse, lui d'habitude si avare de manifestations émotives, si rétif aux confidences.

Essuyant ses yeux rougis, il bredouilla avec difficulté la raison de sa visite inopinée :

— Il est malade, à en crever.

Puis il expliqua qu'il venait d'obtenir de Gaspard, après un mois de suppliques, de se laisser examiner par Honoré Vertuchou. Que ce dernier fût vétérinaire lui avait paru moins menaçant pour son mal. Le Zèbre s'était même laissé convaincre d'aller à l'hôpital se faire radiographier ; non sans avoir fait jurer à Vertuchou que, quels que fussent les résultats, il ne tenterait pas de le soigner contre son gré. Le verdict des médecins se faisait encore attendre ; mais l'état de Gaspard s'aggravait de jour en jour.

Voilà pourquoi Alphonse chialait, là, dans le salon de Camille. Son ami, le seul homme qui lui faisait presque regretter de ne pas être homosexuel, allait bientôt trépasser si sa femme ne lui revenait pas.

— Vous comprenez ? lâcha-t-il en posant sa main rugueuse sur l'épaule de Camille.

Frappée de stupeur, elle demeura muette.

Aux yeux du Zèbre, l'hydraulique nasale était une véritable science. Au fil des temps, il avait mis au point des techniques qui lui permettaient, après les repas, de rincer son nez à grande eau.

Ce soir-là, Gaspard procédait à l'intromission d'une pipe de verre dans sa narine gauche, la tête renversée en arrière, acagnardé dans un transat d'acajou, sur le perron de la Maison des Mirobolants. Marie-Louise finissait de débarrasser les reliefs du dîner, pris dehors pour bénéficier de la chaleur de cette journée finissante, tandis qu'Alphonse s'appliquait à verser une carafe d'eau dans la pipette, à l'aide d'un entonnoir. Et le Zèbre d'infliger à l'assistance, habituée, vingt secondes de glouglous, suivis de râles sonores et de gargouillis ; puis il recracha le tout dans une bassine prévue à cet effet.

— On vidange encore un coup, ou ça suffit ? demanda Alphonse, la cigarette au bec.

D'un geste las, le notaire repoussa cette proposition et esquissa un sourire. Ses traits s'étaient resserrés depuis deux ans. Il donnait l'impression de porter sa peau comme un vêtement rétréci. Le soleil était trop bas pour lui prêter une ombre ; mais même s'il avait indiqué trois heures, elle aurait été bien frêle.

Gaspard se leva doucement, comme s'il craignait de se casser, et s'appuya sur une canne de sa fabrication, taillée trop courte pour le forcer à se briser. Derrière lui, Marie-Louise parlait à Alphonse d'une nièce bien conservée par les crèmes. Il songea à la tristesse que lui avaient toujours inspirée les jeunes filles prolongées. Quand une femme paraissait vingt-cinq ans et qu'elle avouait avec fierté en avoir dix de plus, il lui semblait qu'une Providence marâtre venait brusquement de lui confisquer une décennie de vie.

D'un pas hésitant, le Zèbre mit le cap vers les escaliers pour se replier dans sa chambre ; quand soudain il cilla et fixa son regard en direction de l'allée des tilleuls. Ses lèvres desséchées se mirent à frémir. Un sourire, un vrai, de ceux qui viennent de l'enfance, se dessina sur ses lèvres. Spontanément, il se redressa et lâcha sa canne.

Silencieux, Alphonse s'était également tourné vers la grille du jardin. Il avait gagné.

Camille était là, chargée de deux valises.

Oubliant ses forces réelles, Gaspard dévala les marches du perron, manqua de s'effondrer, se rétablit et, à la façon d'un pantin dégingandé, tenta de courir vers elle. La gaieté habitant ce squelette effraya Camille. Il lui tomba au sens propre dans les bras, s'efforça de tenir debout, voulut soulever ses bagages et finalement, à bout de forces, s'affaissa dans l'herbe. Horrifiée, Camille appela Alphonse à la rescousse. Ils le transportèrent dans la chambre à coucher, où se trouvait toujours leur lit conjugal.

Camille voulut prévenir un médecin ; mais, comme ressuscité par la rage, le Zèbre s'y opposa violemment et demanda à ce qu'on les laissât seuls. Alphonse et Marie-Louise s'éclipsèrent.

Etendu sur des draps blancs, avec lesquels il semblait se confondre, Gaspard tremblait comme le fantôme de Parkinson. Ce coup de sang avait dissipé son petit capital de force. Il apparaissait sans fard, à mi-chemin entre les cieux et la terre, encore assez conscient cependant pour sentir la fièvre froide qui le consumait. Un peu d'âme s'échappait de chacun de ses soupirs. D'une main vigoureuse, Camille frictionna ses jambes dépulpées pour favoriser la circulation de son sang paresseux. Elle réchauffa ses bras démusclés, humecta ses lèvres arides et baisa ses yeux jaunis par une sorte de tartre oculaire ; puis elle battit en retraite dans l'une des chambres d'amis.

Elle avait fui devant l'insoutenable. Le Zèbre qu'elle avait quitté gorgé de sève n'était plus qu'un arbre cerné par le lierre. Elle s'approcha de la cheminée sur laquelle il souriait dans un cadre. La photographie devait avoir deux ans. Dieu qu'il avait changé ! Il lui semblait se réveiller dans un cauchemar ; lorsque tout à coup elle entendit grincer le parquet du couloir. Muette, elle retint sa respiration et tendit l'oreille.

Malgré les tumeurs qui esquintaient, qui vandalisaient son corps, le Zèbre s'était relevé. Il refusait d'abdiquer son statut d'amant, le seul qui justifiât à ses yeux son existence et sa disparition éventuelle. Tel un spectre, Gaspard se traînait dans le corridor, comme par le passé, pour prouver à Camille qu'il restait, même affaibli, l'homme de ses nuits.

Mais ce soir-là, les grincements bouleversaient Camille plus qu'ils ne la troublaient. Les pas se firent hésitants et marquèrent une pause. La gorge sèche, elle reposa le tirage sur le linteau de la cheminée, s'allongea sur son lit et éteignit la lumière. Elle était résolue à jouer la comédie jusqu'au bout, à se laisser posséder s'il parvenait à l'étreindre et à feindre de la concupiscence, à crier même pour l'aider à tenir son rôle. Elle espérait confusément que cet orgasme simulé, s'il avait lieu, permettrait à Gaspard de reprendre confiance en sa force vitale.

Dans le couloir, le Zèbre s'appuya sur le chambranle de la porte de Camille et pesa sur la poignée. Plus elle s'abaissait, plus il prenait conscience de la folie de son entreprise. Jamais il ne rassemblerait assez de force pour faire l'amour à Camille. Devant son sexe éteint, elle s'apercevrait de sa déchéance. Dans son délire amoureux, il s'était cru capable de davantage d'ardeur, mais l'incursion risquait fort de se solder par une déroute. Horace n'était plus un partenaire fiable. Il referma la porte et, titubant, revint sur ses pas, soulagé que sa retraite pût passer pour l'un des allers et retours dont il pimentait, autrefois, ses escapades nocturnes dans le couloir; quand soudain, sur le point de pénétrer dans sa propre chambre, une urgence le prit à la gorge. Il voulait se rassasier de Camille, faire des provisions d'amour pour l'éternité; car cette nuit serait peut-être sa dernière occasion de voyager vers Cythère. Il la désirait, ici-bas et maintenant, et s'il ne devait pas y survivre, tant mieux. Il préférait encore transiter dans l'au-delà entre les jambes de sa femme que seul entre deux draps. Mais un vertige eut raison de ses velléités. Il n'eut que le temps de se traîner jusqu'à son lit et sombra dans un chaos plus proche du coma que du sommeil.

Sous ses couvertures, Alphonse — plutôt athée — priait à tire-larigot, remerciait chaleureusement le Bon Dieu; ce qui donne la mesure de son égarement et de sa joie.

La nuit restaura les forces du Zèbre. Le thermomètre fiché dans l'anus, il se mit à arpenter le salon en robe de chambre dès le matin, consultant tous les trois pas l'instrument qu'il replongeait avec dextérité dans son derrière. Camille dormait encore ; mais le facteur avait déjà déposé les radiographies faites à l'hôpital sur le conseil d'Honoré Vertuchou.

Une mention impérative interdisait d'ouvrir l'enveloppe en l'absence d'un médecin ; aussi s'était-il empressé de la décacheter.

Les clichés n'étaient, hélas, accompagnés d'aucune explication. Gaspard devrait donc attendre le passage de son vétérinaire pour connaître l'exacte gravité de la corruption cellulaire qui ruinait son sang. Son inquiétude venait de ce qu'il voulait désormais guérir, pour vivre avec Camille. Que Vertuchou eût pour métier de soigner les bêtes le rassurait. Il préférait être traité comme un mammifère plutôt que comme un être pensant. Les remèdes de cheval lui inspiraient davantage confiance que ceux qu'on administre aux assurés de la Sécurité sociale. Mais le brave Honoré ne devait lui rendre visite que vers dix heures. N'y tenant plus, Gaspard s'était emparé d'un thermomètre pour tenter d'évaluer lui-même son espérance de vie.

Trente-sept deux, indiquait toujours l'échelle striée des températures. Cette absence de fièvre l'inquiétait comme le silence qui prélude aux batailles ; mais, machinalement, il remit le tube de verre dans son rectum et se pencha sur les radiographies. Une à une, il les ausculta d'un œil vétilleux pour la dixième fois. Une tache blanche sous son bras gauche l'obnubilait. Plus il se palpait, plus il se trouvait, effectivement, une douleur dans la poitrine. Encore quelques secondes et, sous l'empire de son imagination, il localisa avec précision la tumeur maligne qui, dans son idée, faisait ripaille en dévorant son cœur.

Désemparé, il s'affala lourdement sur un tabouret. Dans la seconde, ses yeux s'injectèrent de sang, tant la souffrance était vive. Il poussa un cri de goret et, d'un coup, se redressa sur ses pieds. Le thermomètre venait de pénétrer son postérieur jusqu'à la garde. Cette lâche agression, par-derrière et par surprise, lui fit tourner la tête. Hagard et rugissant comme un lion qu'on sodomise, il s'effondra sur le plancher, à quatre pattes. Touché en son point le plus faible, il ne trouvait plus la ressource d'appeler du secours ; quand il identifia la voix ensommeillée de Camille qui accourait. Ses glapissements l'avaient alertée et tirée de son lit.

Pour toute explication, elle n'obtint d'abord du Zèbre que des hurlements plaintifs ainsi qu'un doigt obstinément dressé vers le ciel. Ses mâchoires mal rasées semblaient verrouillées par une crispation voisine de la constipation. Par chance, Camille ne fut pas longue à déceler l'origine de ce malaise. Elle inspecta le fondement du Zèbre et conclut que le pire avait été évité. Le thermomètre était indemne. Ne restait plus qu'à l'extraire de son fourreau anal ; ce qu'elle fit avec doigté. Libéré, Gaspard se fit alors raccompagner dans sa chambre.

Une demi-heure plus tard, une voiture s'arrêta devant la

132

maison. Par la porte entrebâillée, le Zèbre reconnut le timbre rauque de la voix d'Honoré :

— Il y a quelqu'un ?

— Je suis encore vivant, monte ! lança Gaspard.

Tel un dinosaure à lunettes, Honoré apparut sur le pas de la porte, à l'abri derrière ses montures de fer-blanc. Contrairement à son habitude, il ne se montra guère loquace et laissa ses mains dans ses poches ; ses mains qui d'ordinaire lui donnaient l'air de parler avec celles d'un autre, tant elles paraissaient minuscules au regard du volume de leur propriétaire. Camille lui offrit une goutte qu'il repoussa ; puis, mal à l'aise, il racla sa gorge pour se donner un peu de répit avant d'attaquer :

— Je suis passé à l'hôpital. J'ai vu les résultats de la prise de sang et les radios.

Sans tergiverser, Honoré fit alors part de son point de vue sur le cancer, en termes aussi simplistes que peu diplomatiques. Il expliqua froidement au Zèbre, au nom de l'Amitié, que sa leucémie n'était qu'une toquade de son inconscient et que, s'il était prêt à opérer une conversion mentale radicale, il pouvait encore prendre le chemin de la guérison.

— Et je ne prêche pas pour ma paroisse, ce ne sera pas moi qui te soignerai, conclut-il en avalant finalement cette petite goutte que lui avait proposée Camille.

Toujours au nom de leur sacro-sainte amitié, Gaspard le traita de vil charlatan avec d'autant plus de véhémence qu'il le soupçonnait d'être dans le vrai ; mais avec ses belles théories, Vertuchou venait ruiner ses chances de conserver Camille ; car s'il conjurait son mal, elle déguerpirait sans doute à nouveau ; du moins le pensa-t-il soudain.

L'affaire s'envenima. Honoré se rebiffa ; et pour terminer, le Zèbre lui jura qu'il flanquerait la vérole à sa femme et le phylloxéra à ses vignes. Ils faillirent s'empoigner mais

Honoré jugea indigne de lui de frapper un cancéreux. Il préféra se retirer sous une bordée d'expressions étrangères, juxtaposées sans ordre ni logique, sous lesquelles perçait une intention injurieuse. Quand la rage faisait céder les digues de son urbanité, le Zèbre éprouvait le vif besoin de s'exprimer en plusieurs langues, qu'il ne possédait pas, comme pour donner un aperçu plus universel du sentiment qui le consumait.

L'annonce de la leucémie de Gaspard aurait dû ébranler Camille, mais elle avait trop foi en sa force de vie pour croire en son cancer. Qu'une maladie pût l'abattre lui semblait aussi peu vraisemblable que de voir flamber un sarment de bois vert ; et puis, la nouvelle était trop insupportable pour être entendue. Le mot cancer resta aux portes de ses tympans.

Elle convint que le Zèbre n'était pas homme à laisser son cœur caler sans en découdre avec les ténèbres et, en toute sincérité, adopta une version officielle moins pénible. Le Zèbre était souffrant, certes, mais il remonterait l'Achéron à la pagaie s'il le fallait et, en définitive, triompherait de son affection.

— Mon amour, murmura-t-elle dans un état second, quand tu seras tiré d'affaire, nous irons refaire l'amour dans la chambre sept.

Le Zèbre comprit tout à coup que Camille resterait. Il devait donc recouvrer la santé ; et si l'issue de la bataille médicale lui était défavorable, il resterait muet comme une tombe jusqu'au bout, et violent à l'encontre de ceux qui se mêleraient d'ouvrir les yeux de Camille. S'il devait périr, il souhaitait leurs ultimes grandes vacances aussi légères que la situation était grave.

Mais les hostilités ne faisaient que débuter. Pour Camille, il se sentait capable d'affronter le cancéreux qui sommeillait en lui. L'idée de porter la mort en son sein le rendait euphorique. Il vivait enfin avec sa femme comme si chaque heure devait être la dernière, sans avoir besoin de recourir à un artifice

Gaspard n'avait de sa vie jamais consenti à fréquenter un hôpital. Son vétérinaire lui avait suffi jusqu'alors. Quelle ne fut pas sa surprise !

Au premier rendez-vous, un Professeur arrogant voulut l'obliger à faire un strip-tease devant une meute d'étudiants goguenards. N'en croyant pas ses oreilles, le notaire protesta poliment ; mais comme cela ne provoquait guère de reflux vers la porte de sortie, il brisa un tesson de bouteille qu'il brandit en direction des carabins ; ce qui ne permettait pas une infinité d'interprétations. L'effet fut immédiat : la piétaille en blouses blanches ravala ses plaisanteries et se retira plus vite que la mer au Mont-Saint-Michel. Il n'y eut plus de récidive. Les consultations ultérieures eurent lieu en tête à tête.

Le Zèbre exigea également, chose incroyable, qu'on l'appelât par son nom et qu'on s'adressât directement à lui. Troublés dans leurs habitudes, les internes durent renoncer à parler du « cas Sauvage » ou du « malade » à la troisième personne, entre eux et devant lui, naturellement. Révolution dans le service, on se mit à lui donner du « Monsieur Sauvage » en le regardant dans les yeux ! Imaginez un peu, on le traitait comme s'il n'avait pas abdiqué sa dignité d'homme en franchissant le seuil de l'hôpital. Toutes choses qui ne s'étaient jamais vues. Il eut même droit à une faveur toute spéciale : se faire expliquer les traitements qu'on lui administrait.

Son second sursaut eut pour cadre la minuscule salle d'attente de la pièce étanche où l'on rayonnait au cobalt. Une foule de damnés y croupissait à l'étuvée depuis fort longtemps, dans la plus grande promiscuité. Un vieillard prématuré de quarante ans gisait sur une chaise roulante, les membres envahis de métastases, tandis que des enfants sans cheveux serraient les mains de leur mère en posant leurs yeux éteints sur cette antichambre de la mort. Ils n'avaient pas l'air étonnés du spectacle qui s'offrait à eux ; comme s'ils n'avaient jamais vu que des corps meurtris.

C'est donc au sein de ce petit peuple plongé dans la géhenne que le zèbre rongeait son frein, lui aussi ; quand tout à coup, au bout d'une heure et demie, il se leva et, à la stupéfaction générale, pénétra dans la salle des rayons sans qu'on l'en eût prié.

Derrière les canons au cobalt, trois salariés de l'hôpital buvaient du café en échangeant des propos grivois.

— Que se passe-t-il ? demanda posément le Zèbre.

— C'est la pause déjeuner.

— Et... c'est comme ça tous les jours ?

— Non, l'autre équipe est en vacances.

— Ah... venez, il se passe quelque chose dans la salle d'attente.

Intrigués, les fonctionnaires en blouse blanche se rendirent dans la salle où fermentait un mélange de détresse et d'impatience ; mais aucun événement particulier ne troubla leur indifférence.

— Vous ne remarquez rien ? insista Gaspard.

— Non.

Ils n'avaient pas vu la cour des miracles qui s'étalait

devant eux, rien perçu de ce qu'ils imposaient à cette cohorte d'ombres. L'habitude et la saturation d'horreurs avaient anesthésié leurs sens. Ils ne frissonnaient plus pour leur prochain. Ahuri, au-delà de la révolte, le Zèbre demeura longtemps prostré, assis sur une chaise. Il ne ressuscita que grâce aux caresses de Camille.

Depuis des semaines, il ne tenait debout que par et pour elle. Camille ne le quittait que pour fréquenter la salle de bains, les toilettes et quelques commerçants. Les vacances d'été la dispensaient d'exercer sa profession et leurs enfants vaquaient chacun de leur côté. La Tulipe avait franchi la Manche pour s'initier à la plastique des Anglaises, le temps d'un séjour dit linguistique. Camille tenait à ce que les apparences d'une vie normale fussent respectées. Quant à Natacha, elle rétablissait un peu de justice dans le cimetière municipal et s'adonnait aux menus travaux de la ferme de Marie-Louise et d'Alphonse.

Chaque jour, Camille pilotait Gaspard entre la Maison des Mirobolants et l'hôpital, dans une intimité qui frisait la fusion ; jusqu'au soir où les médecins se mirent en tête de séquestrer le Zèbre pendant une semaine ; c'est du moins ce qu'il voulut entendre lorsqu'on lui demanda huit jours de mise en observation.

Exténué, Gaspard n'opposa qu'une résistance de pure forme ; mais il vociféra quand une infirmière barbue, sans doute frustrée sexuellement, lui postillonna que sa femme ne pouvait pas partager son lit d'hôpital. Camille le tempéra, l'excusa, l'apaisa. Cette période d'observation lui était à présent nécessaire. Son mal prospérait et colonisait son organisme à découvert. Des boules opaques avaient fait irruption près de ses ganglions. Mais le Zèbre refusait pour la même raison d'être éloigné du lit de Camille.

Si les nuits à venir devaient être les dernières, il voulait consommer son mariage jusqu'à la lie. Ultime souhait, rêve d'un amant crépusculaire qui préférait ignorer son impuissance ; car Horace ne répondait plus depuis bientôt un mois, tel un organe du passé, appendice d'une époque révolue.

Trahi par Camille, qui prit le parti des médecins, Gaspard dut se soumettre. En robe de chambre, il la regardait disparaître au bout d'un couloir, quand sonnait la fin des visites. Il restait seul, fantomatique, errant dans les services avant d'échouer sur son lit monoplace. Il transpirait des larmes.

Un soir, Alphonse vint chercher Camille à l'hôpital et remit au Zèbre son courrier du jour. Parmi les factures et les prospectus publicitaires, il y avait une lettre timbrée de Grande-Bretagne. La Tulipe avait enfin rompu le silence. Camille et Alphonse se retirèrent après les phrases d'usage, boutés hors de la chambre par un garde-chiourme acariâtre qui se prétendait infirmière en chef. Gaspard eut beau essayer d'estourbir cette gradée à l'aide d'une chaussure, elle eut le dessus.

Dans la voiture, sur le chemin du retour, Camille et Alphonse en riaient encore. D'où venait que, même chancelant, le Zèbre conservait l'énergie de se jouer de la vie et de bousculer les étroits ? Il serait toujours un rebelle. Jamais il ne s'accommoderait de l'usure du temps. Il regardait chaque matin Camille comme si le soleil devait se lever pour la dernière fois sur leur couple ; à défaut de pouvoir reconstituer quotidiennement leur première rencontre, restait cette solution, renouvelable chaque jour, pour faire voyager leur amour dans le temps.

Dans la boîte aux lettres de la Maison des Mirobolants, Camille trouva une autre missive de la Tulipe, qui lui était adressée. Elle la parcourut et la replia, perplexe.

La Tulipe n'avait rien trouvé de plus spirituel que

d'envoyer une lettre à son père — celle-là même qu'Alphonse lui avait apportée — dans laquelle il dépeignait volontairement son délicieux séjour britannique en termes alarmants, « pour faire plaisir à Papa, tu sais comme il raffole des émotions fortes », expliquait-il.

Camille ignorait encore que la Tulipe subodorait depuis des mois l'issue fatale de la maladie de son père. Cette lettre était à ses yeux un ultime cadeau, une manière facétieuse de lui dire qu'il se sentait rempli de son sang.

A titre d'exemples, la Tulipe citait à sa mère les passages les plus rassurants : « Je suis tombé dans une famille bizarre, mais il fait beau. Seul le père est obsédé par les choses du sexe. Rassure-toi, il ne touche que sa fille. Heureusement, le soir, il ferme la porte de sa chambre quand il frappe sa femme. Je peux donc dormir (...) la situation s'améliore, on me donne désormais à manger deux fois par jour et le fils aîné a renoncé à me faire des injections d'héroïne... »

Le trait était un peu épais ; mais Camille jugea plus prudent d'affranchir le Zèbre avant qu'il ne fût pris d'un accès de fièvre. Elle décrocha son téléphone. Il n'était pas dans sa chambre. Les infirmières eurent beau ratisser l'hôpital, perquisitionner dans les cuisines et retourner le parc, nulle trace du notaire. Comme il était peu vraisemblable qu'il se fût rendu invisible, surtout en si peu de temps, l'interne de garde conclut qu'il s'était échappé.

Il ne fut retrouvé par la police que sur le coup de minuit, à l'aéroport de Roissy, dans un total débraillé, accoutré d'un pyjama et d'un imperméable, encore assez vivant pour se traîner en pantoufles, de guichet en guichet. Effrayé par le moribond, le personnel d'une compagnie tricolore avait refusé de lui délivrer un billet pour Londres et, sans délai, avait appelé police secours.

Impressionné par l'extravagante lettre de la Tulipe, qu'il croyait outrancière à dessein, pour mieux restituer un authentique désarroi, le Zèbre s'était précipité à l'aéroport, en train et taxi, dans l'espoir de s'embarquer séance tenante pour Londres. La détresse de son petit lui avait fait oublier l'état de délabrement de son corps. Il était amoureux de son fiston comme de Camille, incapable d'aimer à l'échelle humaine.

S'il avait toujours vu dans le Christ plus qu'un simple acrobate sur une croix, c'était à cause de ses bras, tellement ouverts. Souvent il avait songé à la déclaration d'amour que le Christ aurait pu adresser à une femme. C'est à cette altitude-là qu'il aurait voulu fixer à jamais sa passion pour les siens.

Mais désormais le temps lui était compté.

Un jour que Camille rentrait du marché, escortée par Natacha, elle trouva une courte lettre laissée par le Zèbre :

« Je suis au monastère d'Aubigny.
« Viens me rejoindre et ne me parle sous aucun prétexte.

« Ton amant. »

Inquiète, Camille déposa Natacha chez Alphonse et Marie-Louise et se transporta aussi vite qu'elle put au monastère d'Aubigny. Un moine concierge lui confirma que Gaspard Sauvage y effectuait bien une retraite.

— Je dois le ramener chez nous, il est très malade.

— Nous le savons, répondit le moine. Votre mari nous a tout expliqué. Il nous a même prévenus de vos intentions lorsque vous viendriez ; mais sa quête est sincère.

— Sa quête..., reprit-elle éberluée, mais il a toujours craché dans les bénitiers !

— Les conversions de grands malades sont choses fréquentes.

— Je veux le voir.

— Il est en prière.

Pour en avoir le cœur net, Camille décida de s'introduire dans la place en demandant asile. Après tout, l'épreuve de la

142

maladie avait peut-être détourné la passion de Gaspard en direction du Christ ; mais Camille demeurait méfiante. Elle ne lui avait jamais connu de vie spirituelle que sa vie amoureuse.

Elle n'aperçut le Zèbre qu'à l'office du soir, dans une posture qui ne lui était pas coutumière : les genoux vissés sur un prie-Dieu et la nuque humblement courbée ; mais elle ne put l'approcher pendant les deux jours qui suivirent. Il semblait faire plus que son possible pour lui échapper. Au réfectoire, elle s'efforçait en vain de lui manifester sa présence par des signes. La règle du monastère interdisait d'échanger des propos et de se déplacer à l'improviste ; et dans les trop courts moments de liberté, il restait introuvable.

Camille ne comprenait pas que, loin d'avoir été visité par la grâce, Gaspard avait formé le dessein d'utiliser les contraintes de la vie monastique pour continuer à la voir, tout en feignant de n'être qu'un inconnu. Il la forçait ainsi à capter sans cesse son attention, telle une jeune fille éprise cherchant désespérément à retenir les regards du garçon qu'elle aime. Le stratagème devait également leur permettre de dépasser les limites que ne franchissent jamais les amants en chair et en os.

Camille n'en eut la révélation que le matin où, au sortir d'une messe, Gaspard laissa tomber sur le sol un bout de papier en la dévisageant. Elle le ramassa et lut le petit mot lorsqu'elle fut seule dans sa cellule, au premier étage du bâtiment réservé aux femmes.

« Madame », écrivait le Zèbre, « je viendrai ce soir vous retrouver dans votre chambre, quand sonneront les douze coups de minuit. Je pénétrerai chez vous par votre fenêtre, à l'aide d'une échelle. »

Gaspard l'avait donc fait venir jusque-là dans le but de lui offrir une aventure romanesque. Bouleversée, Camille se sentit enfin comprise. Pour la première fois, les machinations du Zèbre faisaient écho à ses rêves. Il allait se servir des règles du monastère pour contrarier leur passion, principe de toute littérature romantique digne de ce nom. Le risque d'être découvert viendrait pimenter ces retrouvailles nocturnes ; car il devait la rejoindre clandestinement. Le vouvoiement et le style désuet employés dans le message donnaient à l'entreprise un cachet plus sentimental encore. Au diable le ridicule, s'était dit le Zèbre, exalté à l'idée de vivre quelques instants comme dans un roman. Il aurait volontiers enlevé Camille sur un cheval blanc, tel un prince de conte ; mais ses forces, hélas, ne lui permettaient plus de chevaucher avec sa belle en croupe.

Avant de se retirer dans sa cellule, Camille dut essuyer une séance de chant et une seconde messe. Fébrile, elle ne descendit pas dîner au réfectoire. Claquemurée dans sa chambre, elle essaya de s'abîmer dans la lecture de la Bible pour soustraire quelques minutes aux heures qui la séparaient du rendez-vous, mais seuls ses yeux parcouraient les lignes. Un instant, elle songea au merveilleux de sa situation : « J'ai quarante et un ans, deux enfants, un métier et le feu qui m'anime est plus violent que celui d'une gamine qui découvre l'amour » ; et elle n'en aimait le Zèbre qu'avec plus d'ardeur.

Comme minuit sonnait au clocher de l'église, Camille ouvrit ses volets et scruta le jardin, telle une héroïne Stendhalienne. Son cœur fit un bond dans sa poitrine lorsqu'elle aperçut, dans l'obscurité, une silhouette frêle qui se déplaçait sous les arbres. Quelques minutes s'écoulèrent, quand soudain une échelle s'éleva vers sa fenêtre. Camille

144

n'était plus maîtresse de son transport ; mais l'échelle fut ramenée au sol et l'ombre s'évanouit furtivement dans la nuit. Elle attendit ensuite deux bonnes heures, guettant le retour de son amant. A plusieurs reprises, des frémissements dans les feuillages la firent tressaillir en vain. Vaincue par la fatigue, elle finit par s'endormir seule, accoudée au rebord de sa fenêtre.

Le lendemain, on glissa une lettre sous sa porte au petit matin.

« Ma bien-aimée », écrivait Gaspard, « je n'ai plus la force de porter l'échelle. Venez me rejoindre à minuit dans ma chambre. Ma fenêtre est la troisième en partant de la gauche, au premier étage, dans le bâtiment des hommes. L'échelle se trouve dans le cabanon du potager. »

Le soir même, vers onze heures et demie, Camille quitta sa cellule sur la pointe des pieds. Elle tremblait à l'idée de tomber sur un moine chauve et insomniaque, errant dans les ténèbres des couloirs.

Quand elle eut franchi l'enceinte du potager, le cabanon ne fut pas long à repérer ; mais l'échelle ne s'y trouvait plus ! Camille ne la découvrit que dix minutes plus tard, adossée contre une chapelle en restauration, à l'entrée du petit cloître.

Munie de l'échelle, elle déguerpit en direction de l'aile des hommes, baignée par la clarté minérale d'une demi-lune. Son agitation était extrême ; car si un moine venait à la surprendre dans ces parages, elle ne saurait comment justifier sa présence à une telle heure avec une échelle ! Elle ne se voyait pas non plus expliquant l'affaire à un austère ecclésiastique en bure.

« Mon mari et moi-même aimons copuler dans les monastères. C'est notre fantasme, voyez-vous... »

Frémissante d'angoisse, elle aperçut une fenêtre éclairée. « Il m'attend », se dit-elle en sentant un trouble la gagner. Elle posa l'échelle contre le mur et commença à gravir les échelons en retenant son souffle, tandis que son esprit était assailli de réminiscences romanesques ; quand tout à coup, sur le point de se réfugier dans la cellule illuminée, elle entendit s'ouvrir une fenêtre voisine. Une voix l'interpella.

— Malheureuse, que faites-vous ?

Glacée d'horreur, Camille faillit perdre l'équilibre et choir du haut de l'échelle ; mais elle se rattrapa, se tourna et reconnut le Zèbre dans la pénombre.

Elle se rendit alors compte qu'elle s'était trompée de fenêtre. Dans sa hâte, elle ne les avait pas comptées et s'était fixée sur la seule qui laissait filtrer la lumière d'une lampe de chevet.

Rectifiant le tir, Camille se cramponna au crochet de fer destiné à tenir les volets de Gaspard ouverts et, au risque de se précipiter mille fois, donna une violente secousse à l'échelle et la déplaça latéralement. Le Zèbre lui tendit une main. Elle put se hisser dans la chambre mais, maladroite, fit tomber l'échelle dans les plates-bandes du dessous.

Plus morte que vive, Camille s'élança vers le Zèbre et s'abandonna dans ses bras. Il la serra avec la plus vive émotion. Elle retrouvait cette volupté de l'âme dont parlent les romans du XIXᵉ siècle. L'excès de bonheur rendit un instant à Gaspard son énergie d'antan. Egarés, ils oublièrent l'un et l'autre leurs quinze années de tribulations conjugales, le différend qui les avait conduits au bord du divorce et le cancer qui menaçait désormais de les séparer. Ils n'étaient plus que passion.

146

Dans le feu de l'action, Gaspard parvint à masquer sa grande faiblesse; mais à la vérité, ses transports étaient peu contrefaits. Ses forces lui faisaient cruellement défaut. Par chance, étourdie de félicité, Camille ne s'aperçut de rien et, habilement, Gaspard mit la défaillance d'Horace sur le compte de sa délicatesse.

— Pas avant le mariage, madame, murmura-t-il fort à propos, mettant ainsi à profit l'atmosphère romantique et démodée dans laquelle se déroulaient leurs ébats.

Il manœuvrait comme s'il eût été réellement un personnage issu de l'imagination d'un écrivain; et Camille lui emboîta le pas avec ravissement. Nos deux tourtereaux faisaient dans le sublime, plaçant çà et là des répliques tirées d'anciennes lectures. Leur amour connut pendant quelques heures cette éphémère perfection qu'on ne trouve que dans certains ouvrages et dans les pièces de Shakespeare. Cette nuit-là, ils volèrent un peu de l'étoffe dont l'éternité est faite.

De retour à Sancy, Camille conserva un souvenir émerveillé de cette équipée romanesque où, pour la première fois, leurs rêves s'étaient mêlés.

Les jours suivants, le Zèbre eut de l'humeur contre les Claque-Mâchoires. Il affirmait avec toujours plus de véhémence que le couple maléfique lui avait jeté un sort destiné à l'occire à petit feu, pour lui succéder dans ses murs. Il les soupçonnait de guigner sa demeure moins par passion des belles pierres que par cupidité ; car il n'avait jamais douté que la Maison des Mirobolants recelât un trésor.

Pour appuyer ses dires, il se fondait sur une légende locale selon laquelle le premier propriétaire, Maximilien d'Ortolan, aurait enterré sa fortune en louis d'or dans les soubassements, au moment de la Révolution. Aussi le Zèbre avait-il signé l'acte de vente, au début des années soixante-dix, avec la secrète espérance d'être remboursé au centuple le jour où un coup de pioche heureux viendrait redorer son blason ; mais à la grande surprise de Camille, il ne se hâta pas d'ausculter les sous-sols. Cette richesse virtuelle le rassurait. L'estimation qu'il en faisait était directement fonction des sommes que lui réclamaient ses créanciers.

Les années s'écoulant, son passif ayant pris de l'embonpoint, il n'avait cessé de réévaluer son trésor. Il faut dire que la presque totalité des revenus du Zèbre était affectée à l'extinction de ses dettes les plus criardes. A peine avait-il

148

apaisé la situation que l'incendie se déclarait à nouveau dans ses finances. Sa vélocité à dilapider n'avait d'égale que la vitesse à dégainer de Jesse James.

C'est ainsi que le fantomatique trésor des Mirobolants demeurait encore en terre, protégé par les nimbes du mystère. Mais aujourd'hui que la santé du Zèbre se gâtait chaque jour davantage, que son souffle se faisait de plus en plus court, il songeait à cet avenir qui ne serait plus le sien, à Camille qui bientôt devrait seule régler les factures et apurer ses dettes, fiscales ou autres, pour continuer d'élever leurs enfants ; et il ne voyait guère que le trésor comme solution sérieuse. Le modeste traitement de Camille n'y suffirait pas.

Aussi le Zèbre s'était-il mis à prospecter les fondations avec autant d'ardeur qu'il pouvait encore en dépenser. L'étude tournait sans lui. Ses deux frères et néanmoins confrères, le volubile et volcanique Melchior et Arnaud, dit la Belette, tâcheron malingre, assuraient le suivi de la clientèle. Gaspard avait réquisitionné son clerc, Grégoire de Saligny, pour l'atteler aux tâches harassantes qu'il n'était plus à même d'assumer. Appuyé sur sa canne, il exhortait Grégoire à montrer plus de vigueur à chaque pelletée et quand ce dernier mollissait, le menaçait d'un double lavement.

Craignant de voir son rectum à nouveau sollicité, le malheureux s'activait. Il fallait voir ce rejeton d'une grande lignée, chétif et corseté de bonne éducation, manier la pioche avec des gants de lapereau. Ami du linge fin plutôt que du marteau-piqueur, il ne s'en tirait cependant pas trop mal. Les travaux se déplaçaient de pièce en pièce. Dans le salon, là où l'altitude du plafond varie, le plancher éventré laissa bientôt voir un trou béant qui ravit Natacha, toujours grisée par les chambardements ; mais Camille, usée par les

149

nuits de veille du Zèbre, supportait de plus en plus mal la destruction de son intérieur.

Du trésor nulle trace, quand soudain, un vendredi soir, la pelle de Grégoire heurta une plaque métallique. Le Zèbre exhuma une cassette, renfermant à ses yeux toutes les espérances de survie matérielle de sa famille. L'ensemble de la tribu, excepté la Tulipe, ainsi que ses alliés furent convoqués pour l'ouverture. Grégoire ameuta Alphonse et Marie-Louise et l'on fit cercle.

Natacha ruminait un chewing-gum avec perplexité. Habituée aux délires quotidiens de son père, elle s'était toujours méfiée de ses prophéties ; mais là, force lui était de constater que les entrailles de la maison venaient de rendre un coffret aussi lourd qu'intriguant.

— Tu vois mon chéri, à force de croire aux trésors, ils finissent par exister, lui chuchota le Zèbre du haut de son fauteuil.

Epuisé par sa contribution aux travaux, plus verbale que manuelle, le notaire avait été hissé pour la circonstance sur un vieux siège rembourré, digne des trônes des rois nègres d'antan. L'assistance fit alors silence et Grégoire procéda au désossage de la cassette. Quand le dernier rivet eut lâché prise, Natacha s'avança et souleva le couvercle en fermant les yeux. Chacun eut beau retenir son souffle, il n'y avait que le nombre minimum de louis d'or pour permettre d'employer le pluriel quand, plus tard, on raconterait l'histoire en la déformant pour mieux pimenter le récit. Pour l'heure, deux piécettes d'Ancien Régime se battaient en duel sur un écrin moisi.

La déception générale fut balayée par le contagieux enthousiasme de Natacha pour qui le mot « or » évoquait la caverne d'Ali Baba et les galions espagnols aspirés par les hauts-fonds des océans. Personne ne jugea opportun de la détromper et, pour célébrer dignement la mise au jour du trésor des Mirobolants, le Zèbre suggéra d'organiser une expédition punitive afin de couper les couilles du Claque-Mâchoires mâle, une bonne fois pour toutes. Cette vieille obsession le démangeait à nouveau depuis que le couple médisant se répandait dans le village en pronostiquant sa dernière heure ; du moins aimait-il à le croire.

Transporté par cette idée, Alphonse alla quérir une paire de tenailles gigantesques, conçue initialement pour sectionner les tiges d'acier, au cas où les parties du monsieur Claque-Mâchoires se révéleraient difficiles à guillotiner. Grégoire battait des mains, pour une fois qu'il n'était pas la victime ; mais les femmes réprimèrent leurs velléités castratrices. Sous la pression calme et résolue de Camille, appuyée sourdement par Marie-Louise, l'opération fut remise à une date ultérieure. Le Zèbre dut se contenter d'une bonne bouteille de bourgogne pour fêter l'événement ; mais pour la forme, on décapita le goulot avec la pince qui aurait dû châtrer cette engeance de Claque-Mâchoires.

Seul Alphonse détenait le secret du trésor des Mirobolants. Il trinqua sans dévoiler que c'était lui qui avait enterré la cassette sous une dalle, au fond de la fosse excavée par Grégoire. Il s'était promis que son vieil ami ne tirerait pas sa révérence sans avoir découvert les légendaires pièces d'or de Maximilien d'Ortolan. Si les hasards de l'existence l'avaient placé à la tête d'un consistant pécule, sans doute l'aurait-il déposé dans le coffret ; mais peu doué sur le chapitre de l'épargne, Alphonse n'avait pu contribuer aux rêves du Zèbre qu'à hauteur de deux louis.

La maladie qui ruinait le sang du Zèbre semblait désormais victorieuse. Son haleine devenait infecte. Ses membres tuméfiés d'ulcères se déformaient comme de vieux sarments de vigne. Valétudinaire, le notaire décida de prendre la plume. L'heure était venue de rédiger l'épître testamentaire qu'il laisserait à ses enfants.

« Mes chers petits,
« je meurs de n'avoir pas su tromper votre mère. Croyez-moi, la monogamie fait du tort à la vie conjugale. Si j'avais eu la sagesse d'être plus dissolu, sans doute aurais-je vécu ma condition d'époux avec moins de gravité et de maladresse. La fidélité passionnée est une perversion que j'expie aujourd'hui.
« Ne suivez pas mes traces, cocufiez votre conjoint ; c'est le plus sûr moyen de le garder. Vous ne lui demanderez pas d'être aussi parfait qu'un personnage de roman. L'exhortation de La Fontaine est une foutaise :

Amants, heureux amants, voulez-vous voyager ?
Que ce soit aux rives prochaines.
Soyez-vous l'un à l'autre un monde toujours beau,

152

Toujours divers, toujours nouveau ;
Tenez-vous lieu de tout, comptez pour rien le reste.

« Trompe-l'œil que tout ceci ! C'est un programme pour demi-dieux, croyez-moi, j'ai essayé. Au contraire, voyagez ! Prodiguez-vous ! Les écarts charnels régénèrent le mariage, évitent l'asphyxie.

« Mes chers petits, ne l'oubliez pas, je meurs de ne pas avoir su tromper votre mère.

« Je vous aime.

« Papa. »

Cela fait, le Zèbre glissa la lettre dans une enveloppe et fit appeler Alphonse. Il avait à l'entretenir d'un projet destiné à pallier les inconvénients de la mort, du moins de la sienne.

Alphonse resta longtemps frappé par l'ampleur du dessein du Zèbre. Jamais il n'aurait cru un homme assez fou pour défier les ténèbres ; mais il est vrai que Gaspard n'était pas un mortel ordinaire.

Loin de se préparer au trépas, le notaire s'était mis en tête d'organiser sa survie dans le cœur de Camille. Sa disparition physique ne signifiait nullement qu'il renonçait à son statut d'amant ; et puis, d'une certaine façon, ne demeurerait-il pas vivant tant qu'elle l'aimerait ? Il ne désirait pas d'autre existence posthume et, pour s'en assurer, entendait ne rien laisser au hasard.

Conscient de la fragilité de sa position quand il tomberait en putréfaction sous une stèle, le Zèbre avait prévu un calendrier d'actions post-mortem afin de poursuivre son entreprise de séduction auprès de sa femme. Il redoutait particulièrement la concurrence déloyale des mâles vivants et, pour s'en prémunir, avait la ferme intention de mobiliser sans relâche les pensées de Camille.

— Je dois courtiser ma veuve, comprends-tu ? murmura-t-il avec conviction à Alphonse

Gaspard s'imaginait déjà dans la peau d'un deus ex machina tirant les ficelles de l'au-delà. Certes, la mort lui inspirait un effroi légitime mais elle ajoutait une dimension

154

tragique à leur histoire et il y était sensible, tel un auteur soucieux de la dramaturgie de son œuvre. Mais pour réaliser son dessein, il avait besoin d'un complice ici-bas. Faute de quoi, il craignait que sa passion conjugale ne connût cette décadence contre laquelle il s'était toujours insurgé. La mort ne l'inquiétait vraiment que parce qu'elle lui confisquait son pouvoir sur la femme de sa vie. S'il parvenait à en conserver une partie, même par délégation, alors il expirerait l'âme tranquille.

— Alphonse, donne-moi cette paix, deviens mon correspondant sur terre..., chuchota-t-il de sa voix pâle, étendu sur son lit et calé par des coussins.

Alphonse avait déjà secondé le Zèbre, à l'époque où il se cachait derrière la plume de l'Inconnu, en recopiant les lettres de son écriture scolaire pour que Camille ne reconnût pas celle de son mari. Il les envoyait parfois de la poste de Laval, notamment lorsque le notaire était allé festoyer avec ses confrères à Toulouse. C'était également lui qui avait décrit la robe de Camille dans une lettre de l'Inconnu, pour brouiller les pistes ; mais ce que Gaspard lui réclamait à présent était d'une tout autre nature. Ses réticences venaient de son affection pour Camille. Il hésitait à rendre plus douloureux encore son deuil à venir.

— Tu ne vas pas me lâcher maintenant ? haleta le Zèbre en le fixant de ses yeux atones.

Bouleversé, Alphonse déféra à ses exigences et jura d'exécuter à la lettre la machination à retardement ourdie par Gaspard. Leur amitié avait atteint ce point ultime où l'un continuerait à vivre non plus seulement pour son compte mais aussi pour celui de l'autre. Alphonse serait désormais dépositaire des dernières volontés de son frère de rêve. Lourde procuration qu'il accepta à la fois de grand cœur et de mauvaise grâce. Sans l'avoir voulu, il pénétrait dans les

155

arcanes du cœur de son ami, troublé de se savoir le fantôme de l'un des plus surprenants amants de ce siècle.

Le Zèbre lui remit le dossier contenant ses instructions ainsi que les documents nécessaires pour s'acquitter de sa mission ; puis il lui confia la lettre rédigée à l'intention de ses enfants.

— Tu remettras ça à la Tulipe et à Natacha le moment venu, murmura-t-il.

Les quinze derniers jours du Zèbre furent une seconde lune de miel pour Camille. Gaspard cessait enfin de vouloir la manipuler et osait paraître tendre. Ses attentions ne connaissaient aucun répit. Il savait qu'il ne devait pas être distrait sous peine de partir à l'improviste.

Camille dut tempêter contre les infirmières gradées et se colleter durement avec les médecins qui tenaient à le consigner dans leurs mouroirs ; mais elle obtint gain de cause.

Le Zèbre installa définitivement ses quartiers dans la Maison des Mirobolants. Il souffrait de partout et riait de grand cœur, comme si la proximité de sa mort le soulageait.

Un après-midi qu'il apprenait à Natacha à s'émerveiller en écoutant du jazz, sur un antique tourne-disques, Camille pénétra dans le salon. Sans transition, le Zèbre la serra dans ses bras maigres et la fit valser, tourbillonner sur un air démodé. Natacha ne sut jamais pourquoi un frisson de gêne la traversa lorsque ses parents se mirent à pleurer l'un contre l'autre. Elle sortit simplement sans demander son reste, troublée d'avoir surpris une telle intimité entre deux êtres.

Quand ses forces l'autorisaient, Gaspard allait avec Camille respirer la campagne et embrasser l'automne des yeux. Un soir, ils se retrouvèrent dans la lumière du crépuscule, au bord de la rivière qui borde leur jardin, assis sur des rochers. Le Zèbre attrapa la main de Camille et la serra longuement, en silence, les yeux mi-clos.

— Donne-moi un peu de vie, avait-il soudain murmuré de crainte que la vie ne s'épuisât en lui.

La douceur retrouvée du Zèbre ne l'empêchait pas de jouer avec le peu d'existence qui lui restait. C'est ainsi qu'il jeta, dans ses derniers jours, les bases d'un antidote capable, prétendait-il, de guérir les épouses allergiques à leur mari. Le remède était composé de décoctions de fleurs sauvages. Natacha participa à la cueillette, comme à la mise au point de l'ultime appareil issu du cerveau bizarre du notaire : une machine à applaudir faite de deux mains en bois, reliées à la base par une solide charnière. On pouvait ainsi les battre à tire-larigot pour acclamer les comédiens au théâtre sans s'échauffer les paumes. Camille confectionna une paire de gants de velours, afin d'habiller ces menottes de bois les soirs de gala. Aux dires du Zèbre, l'appareil aurait également pu rendre quelques services aux ecclésiastiques, comme machine à prier. Deux mains jointes, gantées de velours violet...

De son exil londonien, la Tulipe envoya une seconde lettre à son père, pour lui dire que son sang ne s'était point attiédi en descendant jusqu'à lui.

Dans son épître, il informait son père qu'il serait un jour le premier chef d'Etat de l'Europe des temps modernes, rien que ça. La sincérité de son annonce venait de ce qu'il savait son père insensible à l'impossible. Il avait bien réfléchi : les métiers que lui avait proposés l'orientateur de son lycée lui paraissaient trop étriqués. Accéder à la profession de chef comptable le chagrinait. Il voulait « faire Empereur » et, puisque le trône d'Europe occidentale était délaissé, il ne voyait aucun inconvénient à ceindre la couronne de Charlemagne. Au bas de la lettre, Gaspard put lire : « Papa, je réussirai parce que je me sens ton fils. »

Cette missive produisit sur le notaire un effet considérable ; non que la perspective de voir la Tulipe présider aux destinées du continent lui fît plaisir. Il s'en moquait ; d'autant qu'il ne serait plus de ce monde. Mais que son fiston se fût autorisé à franchir les bornes du raisonnable le plongeait dans une indicible félicité. La Tulipe ne serait pas de ceux qui renoncent. Du haut de ses quinze ans, il avait déjà la sagesse de prendre ses rêves au sérieux et de se rire de ce que les lâches nomment « la réalité ». Sa vie serait faite de l'étoffe de ses désirs.

— J'ai un fils ! hurlait Gaspard à qui voulait l'entendre.

Par ce cri, le Zèbre disait son bonheur d'avoir un héritier spirituel. Lui aussi s'était efforcé, tout au long de son existence, de désobéir à la force des choses ; quel qu'en fût le prix à payer. Son refus du déclin de sa passion conjugale et son cancer l'attestaient. Il était fier d'avoir transmis l'essentiel à un rejeton. Peu importait, à la limite, qu'il fût porteur de ses gènes. Il laisserait derrière lui un frère d'esprit, presque un disciple.

Gaspard ameuta Camille, Alphonse, Marie-Louise et le malingre Grégoire pour leur donner lecture de cette lettre ; bien que la Tulipe eût expressément demandé à son père de conserver le secret. Il était incapable d'endiguer son allégresse.

Le destin orchestrait bien son départ. Les instants qui précèdent la mort de certains êtres sont parfois magiques. Les pièces majeures du puzzle d'une vie viennent mystérieusement s'agencer, comme pour terminer le jeu. Le Zèbre avait droit à ces hasards qui n'en sont pas.

Camille eut à se rendre à Paris pour régler des affaires de famille. Un oncle octogénaire venait de rendre l'âme au Bon Dieu, auquel il n'avait jamais cru. Ledit oncle devait une réputation d'homme d'esprit à son répertoire humoristique qui comptait une dizaine de gauloiseries héritées de son séjour imaginaire aux armées.

Qu'on se rassure, la France n'avait point perdu là l'un de ses citoyens les plus décorés. Albert, puisque tel était son nom, avait été jugé inapte à l'incorporation sous les drapeaux en 1913, en raison d'une cage thoracique aussi développée que celle d'un moineau. N'ayant guère supporté de boire du thé de 1914 à 1918, pendant que ses camarades exposaient leur poitrine musclée à la mitraille, le chétif Albert avait commencé par truquer ses états de service. Bientôt, il se mit à mentir effrontément.

— Ah, Verdun..., murmurait-il vers 1920, d'un air entendu, aux danseuses de charleston qui se pâmaient devant tant de gloire.

Habile, il mettait l'absence de rosette à sa boutonnière sur le compte de sa modestie, stigmatisant avec mépris le manque d'humilité des gueules-cassées et autres unijambistes qui, à l'entendre, passaient le plus clair de leur temps à se pavaner sur les boulevards en arborant leurs médailles.

Au fil du temps, son cas s'était aggravé. Depuis une décennie, il croyait fermement avoir moisi pendant quatre ans dans les tranchées de la Somme et exigeait qu'on lui donnât du « Commandant Albert ». Comme obligé par sa légende, il vous entreprenait dès le petit déjeuner sur les actions d'éclat qui faisaient l'orgueil de sa biographie fictive. Il était intarissable.

— L'odeur du sang, ça vous reste...

— Mais enfin, monsieur Albert, lui rétorquait sa vieille bonne, à l'époque vous étiez à Cannes.

— C'est juste; dans un sanatorium... une sale blessure, reçue au Chemin des Dames! Au bas-ventre.

Et il déboutonnait sur-le-champ son pantalon pour vous montrer la cicatrice de son opération de l'appendicite.

Aujourd'hui, Albert n'était plus et, ne laissant ni femme ni enfant, il léguait à sa nièce la totalité de son patrimoine : quelques dettes, une valise d'emprunts russes et, surtout, ses papiers militaires contrefaits prouvant ses faits d'armes ainsi que sa fausse Légion d'honneur; car pour ses vieux jours, il s'était offert une rosette. Les dimanches où ses rhumatismes ne le clouaient pas au lit, il paradait même dans le métro pendant deux heures, rien que pour la montrer, en bombant son maigre torse.

Touchée, Camille avait accepté cet héritage pitoyable. Le rendez-vous était pris avec le notaire de feu le Commandant Albert. Un aller et retour à Paris suffirait à boucler cette affaire.

Lorsque Camille voulut se rendre à la gare, le Zèbre se mit en tête de l'escorter. Elle essaya de lui faire entendre raison, sa grande faiblesse n'autorisant aucun périple; mais il obtint, car l'heure tournait, de l'accompagner jusqu'à la station de chemin de fer.

Alphonse les conduisit, avec mission de ramener aussitôt

le notaire dans son lit. Camille l'embrassa sur le parvis de la gare, ne le laissa pas sortir de la voiture et fila s'installer dans un wagon où elle s'isola en fermant les yeux. Depuis des semaines, le Zèbre avait accaparé son attention, l'avait distraite d'elle-même. Elle avait besoin d'y voir clair et de donner libre cours aux sentiments qui l'agitaient.

Une certitude illumina son esprit : son amour pour Gaspard ne souffrait plus aucune remise en cause ; mais l'issue de sa maladie la laissait perplexe. Aveuglée par sa foi, elle voulait croire que la guérison ne tarderait pas et, comme égarée, commença à murmurer les prières qu'elle retrouvait dans sa mémoire. Les mots remontaient sans difficulté à la surface de sa conscience. Jamais elle n'avait songé depuis son enfance à ces pratiques très catholiques.

Arrivée à Paris, au milieu du fleuve de visages qui se déversait sur le quai, elle aperçut avec stupeur le Zèbre qui l'attendait en tête de la rame, les bras chargés de fleurs. Il était monté dans le train, lui aussi, et semblait flotter dans ses vêtements désormais trop grands. Il était hâve et frêle.

— Ma chérie, articula-t-il en esquissant un sourire, bon anniversaire !

Camille s'abandonna dans ses bras et l'étreignit doucement, par crainte de le briser. Combien d'amoureux ordinaires aurait-il fallu fondre ensemble pour arriver à un tel amant ? se demandait-elle, blottie contre sa poitrine.

La date de son propre anniversaire n'avait pas retenu l'attention de Camille. C'est dire qu'elle était devenue presque une autre à ses propres yeux ; comme si en se prodiguant jour après jour au chevet du Zèbre, elle s'était perdue, trouvant dans cette absence d'elle-même la ressource de continuer.

Camille se ressaisit et essaya de lui faire entendre combien il avait été imprudent de s'engager dans ce voyage, sans se rendre compte que, loin de le ramener à la raison, elle ne faisait qu'augmenter sa joie en peignant les risques qu'il était prêt à encourir pour nourrir leur amour. Quand elle eut achevé sa diatribe, il lui révéla que sa venue à Paris avait un autre but que de lui offrir une gerbe de fleurs au bout d'un quai. Son idée était d'aller fêter la naissance de la femme de sa vie sur les lieux de la naissance de leur passion.

— En quoi faisant ? s'enquit-elle en cédant un pouce de terrain.

— En rejouant dans le décor d'origine notre première rencontre, murmura-t-il de sa voix grêle.

Camille se demanda toujours, par la suite, comment elle avait pu accepter de se prêter à une telle mise en scène, alors que le Zèbre feignait manifestement de paraître ce qu'il n'était plus.

Avant de gagner l'immeuble où ils avaient été voisins sans le savoir, à l'époque où ils ne s'étaient pas encore trouvés, Camille dut passer chez le notaire du Commandant Albert. Elle prit livraison des papiers militaires contrefaits et de la fausse Légion d'honneur ; puis elle abrégea le rendez-vous pour ne pas trop faire patienter Gaspard qui trépignait dans la salle d'attente.

Alors que leur taxi dépassait le Palais Galliera, vaste bâtisse blanche aux proportions raisonnables, le Zèbre chuchota à Camille qu'il était creux, sans étage. A l'entendre, Galliera n'était qu'une spacieuse chambre à coucher, construite au siècle dernier par un prince vénitien désireux d'y faire l'amour avec une danseuse. Camille apprit plus tard qu'hélas le Palais Galliera avait été conçu dès l'origine pour abriter des expositions ; mais elle continua à divulguer la version du Zèbre par plaisir, alléguant qu'elle tenait l'information d'un architecte versé dans l'histoire des vieilles pierres de la capitale.

Le taxi s'arrêta devant le 122 rue d'Assas, adresse de leurs débuts amoureux. Ils en sortirent et demeurèrent longtemps silencieux, main dans la main. Gaspard rencontra alors dans sa mémoire une phrase tirée de l'une des premières lettres de Camille : « J'aime Dieu de t'avoir créé. » Ces mots avaient l'âge de leurs enfants et traduisaient encore avec justesse la flamme qui les dévorait.

Ils pénétrèrent dans l'immeuble et, s'appuyant sur Camille, le Zèbre se traîna dans les escaliers jusqu'au dernier palier. Ses poumons le trahissaient. Comme asphyxié, il la pria de redescendre quelques étages pour simuler son arrivée. Camille fit volte-face et s'éclipsa dans la cage d'escalier.

Lorsqu'elle réapparut, un miracle s'était opéré. A l'idée de reconstituer leur rencontre, de se glisser dans la peau du jeune homme qu'il avait été, Gaspard avait reverdi de l'intérieur. Son corps décharné était certes toujours boursouflé de métastases, mais son port de tête, la brillance de son regard et la vivacité de sa physionomie étaient ceux d'un garçon de vingt ans.

Retrouvant l'étudiant dans son mari, Camille attaqua sa première tirade avec fougue. Cette métamorphose lui insufflait de l'énergie, tandis que le Zèbre se prodiguait, tel un élève-comédien au concours du Conservatoire d'Art dramatique, sans se soucier des ressources qu'il brûlait. Tout à coup, vers la quinzième réplique, le notaire eut un vertige. Sa voix dérailla. Il s'effondra dans les escaliers. Camille se précipita. Secoué par de violents spasmes, Gaspard se mit à vomir comme on rend l'âme. Les habitants de l'immeuble firent bientôt irruption sur le pas de leur porte. Qu'est-ce que c'est que ce bruit ? Oh, relevez-lui la tête. Je vais bien. Non, ne le touchez pas. Jean, rentre le chat. Ecartez-vous, il a besoin d'air. C'est mon mari. Jacqueline, va coucher les enfants. On appelle un prêtre ? Non, va chercher de l'eau. Camille fit appeler une ambulance.

L'infirmier voulut décharger sa cargaison dans un hôpital parisien ; mais le Zèbre exigea d'être rapatrié sur ses terres, alléguant que son malaise était passager. Un gros billet que Camille eut l'esprit de glisser dans la poche du chauffeur acheva de le convaincre du bien-fondé de cet argument.

Le voyage sembla interminable à Camille qui se gourmandait de ne pas avoir ramené le Zèbre plus tôt et d'avoir présumé de ses forces. Quand il aperçut ses tilleuls, dont l'allée courait en ligne droite du portail jusqu'à la Maison des Mirobolants, il se trouva moins souffrant, comme s'il eût revu d'anciens compagnons. On le transporta dans son lit, sous les yeux remplis d'inquiétude de Natacha, accourue dès qu'elle eut remarqué l'ambulance garée dans la cour. Débordée, Camille la renvoya chez Marie-Louise.

— Papa a besoin de repos...

Le Zèbre dessina un demi-sourire sur ses lèvres desséchées, pour faire bonne figure devant sa fille, et tenta de la rassurer par des serrements de main presque convulsifs. Il surprit une ombre dans le regard songeur de Natacha. Elle embrassa son père, se sauva et ne trouva qu'une phrase pour s'expliquer lorsque Marie-Louise lut sa tristesse sur son front plissé :

— Papa n'a pas l'air frais.

L'infirmier prit congé de Camille. Elle se retrouva enfin seule avec le Zèbre, dans une intimité que renforçait encore sa grande faiblesse. Agité par une fièvre opiniâtre, il donnait le sentiment d'être plus vulnérable qu'un enfant. Touchée, Camille eut le courage de le dorloter jusqu'à dix heures du soir où, rompue, elle se retira dans sa chambre pour ne pas choir sur le plancher. Elle n'était plus que fatigue.

Etendue sur son lit défait, Camille demeura comme

anéantie à somnoler, des heures durant. Elle ne pouvait chasser de son esprit le souvenir des instants d'extase qu'ils avaient connus dans la cellule du monastère d'Aubigny. D'autres mises en scène fomentées par le Zèbre lui revinrent en vrac. Les lettres de l'Inconnu, la chambre sept de l'hôtel miteux, la métamorphose en vieux couple, sa fausse maîtresse... et ce matin de novembre où elle avait cru que Gaspard la quittait. Pour la première fois, elle repensait à ces moments avec une certaine tendresse. Dieu qu'il s'était épuisé le cerveau à inventer des stratagemes. Elle éprouva une pointe de fierté à ne pas être du nombre de ceux dont l'ennui matrimonial fait périr la passion. Elle était amoureuse. Oui, elle l'aimait aujourd'hui avec des transports plus vifs encore que dans les débuts de leur liaison. Le Zèbre avait gagné son défi. Elle s'en réjouissait. Ils ne finiraient pas comme un couple fossile.

Resté seul, Gaspard s'avisa du drôle de tour que sa vie finissante lui jouait. Alors qu'il avait toujours redouté que la mort ne le séparât de Camille, elle les rapprochait à présent ; car c'était bien sa maladie qui lui avait rendu sa femme.

A mi-chemin entre la vie et l'au-delà, il entra dans la vérité des choses : « Ah, pourquoi ne me suis-je pas montré plus tôt, avec mes craintes et mes espoirs, songea-t-il, plutôt que de me cacher derrière un personnage théâtral. J'ai réussi, Camille m'aime ; mais je m'éteins. Si seulement j'avais laissé paraître ce que je suis... Au fond, les couples meurent de silence. L'usure du temps n'est qu'un alibi. Pourquoi ne me suis-je ouvert qu'une fois, lors de son départ, au dernier moment, beaucoup trop tard ? Ah, si quelqu'un pouvait écrire ma biographie... Cela donnerait au moins un exemple à ne pas suivre aux amoureux de longue date... »

En dépit de ces réflexions, Gaspard estima qu'il n'avait pas fait totalement fausse route. Même si le prix de sa victoire était élevé, il avait touché son rêve du bout des doigts. Et puis, aurait-il pu agir différemment ? Il ne se sentait exister que lorsqu'il substituait à la réalité sommeillante une autre réalité, plus intense, moins asphyxiante pour l'âme. Aussi était-il résolu à mettre en scène son trépas qu'il sentait proche. Il voulait éprouver de la ferveur jusqu'au dernier souffle et partir en héros romantique. Il en allait de la perfection de leur histoire en tant qu'œuvre.

Comme une heure du matin sonnait, Camille distingua des bruits dans le couloir. Les craquements qui suivirent vinrent confirmer ce qu'elle redoutait. Bien qu'il pût à peine se soutenir, le Zèbre s'était relevé pour réveiller chez sa femme l'envie de chair. Il fit quelques pas en pesant sur les lattes disjointes du plancher. Amant, il voulait le rester, même crépusculaire. Epouvantée, Camille sentit son corps s'émouvoir contre son gré. Les grincements aiguillonnaient son désir, comme par le passé, malgré l'horreur des circonstances ; quand soudain elle entendit Gaspard trébucher et chuter.

Affolée, Camille se jeta hors du lit et courut dans le corridor. Le Zèbre gisait sur le sol, baigné d'une sueur tiède. Elle le serra contre son sein. Déjà ses yeux retournés regardaient vers l'au-delà et ses lèvres pincées, comme usées par la souffrance, ne semblaient rester ouvertes que pour prononcer le mot de la fin, celui qu'il avait mûri depuis des semaines.

« Ne me quitte pas... » furent les dernières paroles qu'il put chuchoter.

Puis une ineffable paix se peignit sur son visage.

Hébétée, Camille songea alors que, en l'absence de certitudes sur l'existence de Dieu, la postérité de Gaspard ne dépendait plus que de l'amour qu'elle lui porterait.

Elle ignorait encore la machination fomentée par le Zèbre. « Je courtiserai ma veuve », avait-il murmuré à Alphonse.

III

*Il n'y a pas d'autre mort que
l'absence d'amour.*

RENÉ BARJAVEL

Le cadavre fut long à roidir. L'esprit aussi vide qu'un œuf gobé, Camille traîna le Zèbre jusqu'à son lit encore tiède, s'étendit sur sa poitrine et enfouit son visage dans son cou. Elle le couvrit de baisers, frotta vigoureusement ses mains, lutta fébrilement contre le froid des ténèbres qui gagnait ses membres gourds. Des mots tendres s'échappaient de ses lèvres, psaume d'amour murmuré, cantique passionné et improvisé.

De douleur, aucune trace. Trop tôt. Seule une légère brise de folie soufflait dans ses pensées. Courant d'air qui, dans l'obscurité, s'enfla, devint un vent qui lui chamboula l'entendement le temps d'une nuit, de leur ultime nuit. Camille ôta son chemisier et vint se couler contre la dépouille de Gaspard. Mi-nue, elle s'allongea sur son torse que nulle respiration n'animait plus, tenta de réchauffer sa peau qui déjà se parcheminait. Elle frôlait ses mains qui ne viendraient plus arpenter ses seins ni souligner ses hanches, humait son odeur, la fixait dans sa mémoire pour plus tard... quand elle se réveillerait veuve.

Lorsque le corps fut glacial et les yeux révulsés, Camille s'arracha à son amant, enfila son chemisier et quitta la chambre sans une larme ; puis elle descendit dans le jardin marcher. Elle erra ainsi jusqu'au coucher de la lune et, harassée de n'avoir pu pleurer, s'endormit dans le Pavillon d'Amour.

Le soleil la tira du sommeil vers neuf heures. Autour d'elle, parmi les outils d'ébénisterie du Zèbre, s'étalaient ses inventions de bois : la machine à applaudir, la machine à fumer... vestiges d'une époque révolue en l'espace d'une nuit.

Dans sa chambre, elle retrouva ce qui n'était déjà plus le Zèbre. Son visage n'était pas vraiment le sien, ni celui d'un autre, mais plutôt celui de personne. La figure du néant, on aurait dit. Si impassible, si calme. Imaginez une mer sans vagues, ce ne serait plus une mer. Eh bien Gaspard n'était plus là. Manquait le mouvement.

Camille éprouva un chagrin qui la transperça ; car c'était précisément le mouvement perpétuel qui caractérisait le Zèbre. Cette immobilité soudaine la plongea dans une douleur d'autant plus aiguë qu'elle se sentait brutalement amputée de sa force de vie. Gaspard ne serait désormais plus là pour l'éperonner au quotidien.

Tout à coup, la figure baignée de larmes, Camille s'aperçut que le Zèbre ne portait plus ses vêtements de la veille mais son habit de mariage, qu'il conservait au grenier. Stupéfaite, elle comprit alors en un éclair que cette soi-disant agonie n'était qu'un stratagème de plus ourdi par Gaspard pour attiser leur passion ! Il avait dû absorber une drogue afin d'abaisser sa température et son rythme cardiaque et, dans la nuit, revêtir son frac de noces pour quelque obscure raison tenant à son plan. Il revint à Camille que, dans Roméo et Juliette, Shakespeare fait absorber à Juliette un tel élixir. Dans la pièce, chacun sait que l'affaire tourne mal ; sans doute le Zèbre avait-il souhaité que leur Roméo et

174

Juliette conjugal trouvât une issue moins sinistre. Oui, son sang allait se décongeler. Il allait se réveiller, l'étreindre et l'embrasser, lui chuchoter que tout ceci n'était qu'une mise en scène.

Encore sous le choc de sa découverte, Camille sécha ses yeux rougis par les pleurs et le secoua doucement, puis sans ménagement.

— Allez, réveille-toi! lança-t-elle au Zèbre avec aplomb.

Mais il tardait à sortir de sa torpeur. Ses mains étaient froides et son visage manquait singulièrement d'âme. Camille ne s'en aperçut pas, ou plutôt ne voulut pas s'en apercevoir, occupée à fourbir les injures qu'elle entendait lui assener dès qu'il ouvrirait ses paupières dormantes. A-t-on idée de se jouer de sa femme à ce point? Ah, cette fois-ci, il ne s'en tirerait pas à si bon compte! Les lèvres frémissantes de rage, elle attendait son premier tressaillement pour le chapitrer; quand elle entendit la voix fluette de Natacha, dans son dos :

— Je lui ai mis son beau costume pour qu'il soit chic à la messe d'enterrement.

Alors Camille éprouva qu'il n'est de pire souffrance que de voir s'éteindre un amant pour la seconde fois. Ses traits s'éteignirent. Elle pleura.

Natacha était venue au petit matin et, de son propre chef, avait décidé d'habiller élégamment son père cadavre. A force de fureter dans le cimetière municipal, les ténèbres lui étaient devenues familières. Devant ce grand corps froid qui avait appartenu à son Papa, une seule pensée lui était venue à l'esprit, jugulant son désespoir : que va devenir Maman? Je dois la secourir.

— Ne le regarde pas, ce n'est plus lui, murmura-t-elle.

175

Comme sa mère ne quittait pas des yeux la dépouille, Natacha ajouta, dans un élan de compassion :

— Tu veux que je lui mette son masque de Mickey ?

— ... de Mickey ? répéta Camille ahurie, entre deux sanglots.

Le jour même, Camille fit revenir la Tulipe d'Angleterre sous un faux prétexte. Le téléphone communique trop mal les vraies nouvelles. Imperfection d'un appareil qui oublie les regards et ne transmet que les paroles.

Quand la Tulipe pénétra dans la Maison, sa mère se tenait au bout du vestibule. Elle pensa si fort qu'il comprit tout de suite que la Providence venait de lui confisquer son adolescence. A l'intérieur de cette maison silencieuse tout lui disait d'oublier ses quinze ans.

Dans ses traits, bien sûr, Camille reconnut le Zèbre. Même regard en liberté, même port de tête d'insoumis. Ils avaient tous deux l'air rebelle aux pressions du destin. Bêtement, Camille le crut solide. Des mots instinctifs sortirent du fond d'elle-même, de sa solitude :

— Tu es maintenant le chef de famille.

Paroles de plomb qui tombèrent sur les frêles épaules de la Tulipe et assassinèrent le petit garçon qui se prélassait encore en lui. D'un coup, la Tulipe porta le deuil de son père et de son enfance. Il sourit à sa mère, embrassa tendrement Natacha soudainement apparue, et sut à cet instant que s'il ne se relevait pas incontinent, sa vie ne serait qu'un long échec. Alors il se promit de devenir un jour Président des

177

Etats-Unis d'Europe et, pour distraire sa peine, hasarda une anecdote :

— Vous connaissez l'histoire du petit garçon qui a perdu sa mère ? Il la cherche partout, dans la rue, dans les magasins, et comme il ne la trouve pas, il demande à un flic : « Pardon, m'sieur, vous n'auriez pas vu une maman sans moi ? »

L'histoire dérida Natacha. Camille demeura interloquée, tandis que la Tulipe pensait : « Pardon, m'sieur, vous n'auriez pas vu un père sans moi ? »

Son chagrin se dilata ensuite ; quand il fut sans témoin. Isolé, il ferma les yeux et vit toute l'étendue du sinistre qui le frappait ; mais déjà, pour surnager, son esprit lui procurait des alibis : « Il est naturel qu'un père disparaisse avant son fils... J'ai de la chance, il m'aurait fait de l'ombre... » Que ne se ferait-on croire pour continuer à exister ?

La messe d'enterrement eut des allures de retour en arrière. Camille vit l'église se remplir des visages de ceux qui avaient traversé son existence de femme mariée. Le vétérinaire du Zèbre, Honoré Vertuchou, était venu, flanqué de son épouse. Anna, qui l'avait rendue folle de jalousie, était également là, suspendue au bras de Grégoire qui, pour une fois, dérogeait à sa réserve coutumière. Humide de larmes, il donnait le sentiment de se noyer à chaque respiration. Dissimulé derrière un pilier, Camille distingua le patron ruisselant de sueur du petit hôtel dans lequel elle avait trompé Gaspard avec lui-même. Non loin, elle aperçut une délégation de sa classe de mathématiques, ainsi que Cravache, l'énergique proviseur du lycée Ambroise Paré. Elle reconnut Benjamin avec qui elle avait si délicieusement cru faire l'amour. Il paraissait prier pour le défunt, ignorant l'avoir cocufié dans l'esprit de Camille.

Sur le dernier banc, blottis l'un contre l'autre, se trouvaient les Claque-Mâchoires. Piqué par leur présence, Alphonse susurra à Camille que ces rampants avaient voulu s'assurer de visu du décès du Zèbre. Elle songea alors que le soi-disant couple maléfique n'avait jamais dû être venimeux que dans l'imagination de Gaspard.

Ne manquait plus qu'un moine du monastère d'Aubigny

pour compléter le tableau. Même Malbuse s'était dérangé, histoire de participer à la tristesse générale. L'ensemble des fidèles formait une macédoine de culs-terreux, de culs-bénis et de faux-culs, tous venus se regarder dans la mort d'un autre. On s'était déplacé des communes circonvoisines pour les funérailles de celui qui, depuis quinze ans, était la fable du bourg de Sancy. Les ruraux locaux étaient presque tous là, encadrés par la poignée de notables que comptait le village. Bouffi d'un orgueil tout républicain, Monsieur le Maire se donnait de l'importance en bombant son maigre torse ceint d'une écharpe d'élu du peuple. Sans vergogne, il bouscula deux veuves fossiles qui tentaient de s'accrocher au banc du premier rang et, une fois bien en vue, on le vit verser quelques larmes de circonstance.

Les frères du notaire avaient tenu à ce qu'il y eût un service religieux en bonne et due forme. Camille ne s'était occupée de rien, sinon de son chagrin. La Belette et Melchior firent office de chefs de famille au cours de la cérémonie, tandis qu'Alphonse et Marie-Louise veillaient sur le moral de la Tulipe et Natacha.

Camille faisait mine d'être présente. Un seul événement la sortit de la souffrance dans laquelle elle s'engluait : au fond du panier de la quête, elle distingua l'une des fausses pièces de cinq francs fondues par le Zèbre.

— Pique la grosse pièce, murmura-t-elle soudain à la Tulipe.

Interloqué, ce dernier demeura quelques secondes sans réaction. Dévaliser les troncs des églises n'était pas dans ses habitudes ; quand soudain, il reconnut la pièce de plomb. Il la subtilisa et, peu après, ne put réprimer ses pleurs. Ce clin d'œil de son père, à son propre enterrement avait brutalement avivé sa douleur.

Seul Alphonse savait que c'était lui qui avait déposé la

fausse monnaie dans le panier. Agenouillé en bout de banc, il implorait le Bon Dieu de lui procurer assez de foi pour conduire à son terme le plan post-mortem du Zèbre.

Après avoir béni le cercueil, Camille et les siens durent essuyer les assauts de compassion de l'assistance. La Tulipe songea un instant que ces dizaines de mains serrées avec une ferveur tout électorale présageaient bien de sa carrière politique. Au creux de lui-même, il remercia son père de lui fournir si tôt un premier entraînement.

Au sortir de l'église de Sancy, Grégoire aborda Camille et, dans un flot de sanglots, lui avoua ne s'être jamais enfilé dans le rectum les deux litres d'eau prescrits par le Zèbre quand il le sommait de s'administrer un lavement.

— Je m'enfermais dans mon bureau et je les buvais... lâcha-t-il en rencognant une larme.

On chargea le cercueil dans un corbillard gréé de rideaux sombres et bientôt le cortège pénétra dans le cimetière municipal décoré, ou plutôt déshonoré, par de vilains monuments funéraires. Le maire improvisa un discours d'adieu au « notaire qui faisait la fierté de Sancy » et le curé, de complexion chétive, s'égosilla pour rappeler à ses ouailles qu'ils n'étaient que poussière destinée à retourner à la poussière.

Camille eut un serrement de cœur. Tout ceci ressemblait si peu au Zèbre. Pas un des orateurs n'avait évoqué l'amoureux qu'il avait été. Non, on n'enterrait pas un notaire mais un amant. Son véritable métier était d'aimer sa femme.

Le curé ordonna que le cercueil fût élingué dans la fosse ; mais à la surprise générale, on s'aperçut que le trou était légèrement trop étroit, comme si le Zèbre renâclait à se faire enterrer. Alphonse resta un instant ahuri. Cet incident n'avait pas été prémédité par le mort. Dans les rangs, on commença à stigmatiser l'incurie de Malbuse, le fossoyeur.

Alors Camille rencontra le regard de Natacha et celui de la Tulipe; et tous trois partirent d'un éclat de rire. Seuls Alphonse, Marie-Louise et un paroissien au rire hennissant leur emboîtèrent le pas; les autres demeurèrent un moment cois, par crainte d'offusquer la famille Sauvage; mais très vite, la cérémonie tourna au déchaînement d'hilarité. Enfin les obsèques du Zèbre se mirent à lui ressembler.

On se souvint longtemps à Sancy de l'inhumation de ce notaire qui rechignait à se laisser mettre en terre.

La nuit suivante, seule dans le lit à deux places qu'ils avaient fait grincer mille fois, Camille ne pensait pas à un visage mais à une absence. Un sentiment de vide se dilatait en elle et, comme elle tentait de retrouver les contours de la figure du Zèbre, elle se mit à craindre qu'ils quittassent sa mémoire. Déjà ils s'estompaient et, malgré ses efforts, la vision précise lui échappait. Elle ne parvint qu'à se souvenir de sa silhouette et de ses traits les plus saillants. Soudain un bruit ténu retint son attention et lui arracha un petit cri d'effroi.

Du couloir venaient des craquements, comme si les lattes du plancher gémissaient à nouveau. Le cœur cognant d'espoir, Camille se redressa. Oui, c'était Lui. Elle reconnaissait son pas, sa façon de susciter son trouble par des allées et venues interminables. Il était de retour pour lui annoncer la fin du cauchemar.

Un sourire illumina les traits chiffonnés de Camille. Elle se leva, tremblante, étendit la main et ouvrit la porte. L'obscurité devait le dissimuler. Elle fit jaillir la lumière. Elle était seule, désespérément seule. Camille déglutit et ravala sa douleur. Tout à coup elle comprit la cause de sa déconvenue : les grincements ne venaient pas du plancher mais de la charpente qui jouait sous l'effet du vent.

Abattue, Camille claqua la porte et s'écroula sur son lit, le visage noyé dans un oreiller et les membres épars. La certitude que le Zèbre avait sabordé sa santé pour elle aurait pu la réconforter ; mais Camille se demandait si elle se complaisait dans cette idée ou si Gaspard avait effectivement appelé de ses vœux la maladie qui l'avait emporté.

Transpercée de doutes, elle chercha le sommeil pour prendre congé de la réalité et fuir la tentation du suicide. Quand la mort vous tend les bras... Recrue de chagrin, elle s'enferma dans une songerie opaque où Gaspard vint la rejoindre.

Elle le vit pénétrer dans la chambre, s'asseoir à ses côtés et lui sourire. Félicité d'une souffrance qui s'évanouit, soif de présence soudain étanchée. Elle sut alors très exactement ce que le mot paix tente de dire.

Haletante et baignée de sueur, Camille se réveilla en sursaut à l'instant où il lui baisait les lèvres. Brusquement tirée de son rêve, elle n'eut de cesse de vouloir y replonger, afin de retrouver le goût de sa bouche, l'odeur de sa nuque, la chaleur de ses étreintes. Elle ne doutait plus désormais que ses rêveries eussent plus de réalité que le monde sensible ; quand un mouvement salutaire lui restitua sens et jugement. Camille prit alors conscience du danger qu'il y avait à se laisser glisser sur cette pente et, recourant à ce qui lui restait de volonté, elle alluma sa lampe de chevet et s'astreignit à veiller, malgré la fatigue.

Le sommeil eût été un bonheur si elle n'avait pas appréhendé de rencontrer le Zèbre en songe. Les yeux grands ouverts, elle se mit alors à tisonner sa mémoire, histoire d'apaiser provisoirement son envie de le voir, tout en se répétant que rêves et réalités sont deux illusions à ne pas confondre.

Le regard rivé sur le néant, Camille se promenait dans le

jardin secret où dormait leur passé commun, se dérobait à son chagrin en se saoulant de souvenirs. Elle se le représenta lors de leur unique séjour en Afrique, au Sénégal, dans un palace interdit aux pauvres. Gaspard n'avait consenti à entreprendre ce déplacement, ô combien périlleux dans son idée, qu'à la condition expresse de faire expédier à l'avance des centaines de litres d'eau minérale — du Vichy Célestins — à l'établissement dans lequel ils devaient descendre, pour qu'il pût boire, se frotter les dents et se laver, au Vichy Célestins, en toute quiétude. Camille s'était conformée à ses exigences. Le périple n'en avait pas été pour autant une sinécure.

Dans l'avion qu'il prenait pour la première fois, n'ayant pas réussi à se faire placer près de la queue, malgré ses glapissements, le Zèbre resta debout sur ses jambes grêles à l'arrière, dans les allées. Camille s'efforça en vain de le ramener à plus de raison. Sa terreur d'un accident aérien le rendait inflexible. Il tenait pour plus sûr le fond de l'appareil qui, selon ses estimations, devait échapper à la destruction en cas de catastrophe. Contrarié par une hôtesse de l'air qui le sommait poliment de regagner son siège, il vociféra, la traita de grue empaillée et se retrancha dans les toilettes de l'arrière où il se barricada pendant le reste du vol, en dépit des supplications et menaces du personnel navigant ; ce qui dérangea quelque peu les autres voyageurs, car bientôt certains ressentirent le besoin de soulager leur vessie.

Calée par des oreillers, toujours étendue sur son lit, Camille songea à la honte qu'elle avait éprouvée et se surprit à sourire ; et comme la suite de ces événements africains se déroulait dans son esprit, elle se laissa aller à rire.

Agressé par un moustique dès son arrivée à Dakar, le Zèbre conçut illico une phobie à l'endroit des insectes tropicaux. Claquemuré dans l'hôtel climatisé, il ne se résigna à risquer quelques sorties que protégé par un parapluie autour duquel il avait fixé des moustiquaires. Tel un animal rose sous une cloche à fromage, il vagabondait ainsi à travers les marchés nègres, sans prêter attention aux sarcasmes et quolibets des nuées d'enfants crépus qui l'accompagnaient.

Leurs tribulations africaines devaient s'étaler sur quinze jours, elles n'en durèrent que deux. Au bout de quarante-huit heures, le notaire tomba en catalepsie, foudroyé par une urticaire géante et galopante qui lui dévorait la gorge. Rapatrié de toute urgence en France, il recouvra la santé sitôt le pied posé sur ses terres de Mayenne. Un lavement infligé à Grégoire acheva de le ragaillardir, d'éteindre son eczéma et trois chopines de bourgogne suffirent à le lancer dans un récit de ses aventures sénégalaises aussi apocryphe que fulgurant, destiné à faire rêver son ami Alphonse. A l'entendre, sa villégiature sédentaire et touristique tenait des équipées cauchemardesques de Savorgnan de Brazza.

Et Camille de se laisser pleurer en songeant qu'un Zèbre de ce calibre ne se croise pas deux fois dans une existence. Des collègues du lycée avaient déjà prononcé ces mots terribles : « Refais ta vie » ; mais aux yeux de Camille, se remarier équivalait à se lancer dans l'adultère ; et puis, elle ne voulait pas tuer Gaspard une seconde fois en gommant son nom de sa carte d'identité. Roulée dans son lit, Camille eut soudain peur de changer d'idée et de se consoler de son deuil. Se déprendre du Zèbre ? Cette éventualité la faisait frémir. Elle s'en voulut d'être humaine et donc sujette à l'inconstance.

Plus elle y pensait, plus l'outrance de Gaspard lui paraissait sage. Oui, il avait eu raison de faire feu de tout bois pour réchauffer leur passion engluée dans l'ordinaire des jours. Oui, il y avait urgence. Oui, la mort était pour demain ; car elle est toujours en avance. Oui, il faut cesser de ne pas s'aimer à la folie. Oui, les lunes de miel sont un rêve trop fugace ; chaque jour doit en être une, oublions l'infect conditionnel. Impossible ? Oui, et alors ? Oui, il est raisonnable de ne pas l'être, tant les ténèbres nous talonnent.

Apaisée, Camille pensa à la mort comme à une amie qui détriste la vie.

De mémoire de fossoyeur, on n'avait jamais vu pareil sacrilège. Malbuse pâlit en foulant la terre très chrétienne de ce qu'il regardait comme « son » cimetière. Immobile, il embrassa du regard toute l'étendue du désastre. Ce qui lui tenait lieu de sens esthétique en était offensé. Un sentiment de révolte gronda dans sa poitrine, s'enfla et lui tira un filet de bave qui vint couler le long de sa lippe inférieure, frémissante de rage.

— La garce..., murmura-t-il en y mettant une intention vengeresse.

Les tombes, toutes les tombes avaient été dévalisées de leurs fleurs. Plus une couronne, plus un géranium. La petite Sauvage, Natacha, avait encore frappé, c'était certain, sans le moindre respect pour les défunts les plus honorés. Il l'incrimina séance tenante. Nul autre paroissien ne s'intéressait à la flore de ce cimetière.

Malbuse l'avait dans le collimateur depuis qu'elle s'était mis en tête de répartir les couronnes mortuaires et les bouquets sur les sépultures. Cette velléité de communisme post-mortem le dérangeait dans ses opinions conservatrices. « Voilà où mène le marxisme, au nivellement par le bas ! » songea-t-il en contemplant les dalles dépouillées de leurs gerbes ; par quoi l'on voit que Malbuse était rompu aux

188

spéculations intellectuelles les plus fines. Mais il demeura perplexe car Natacha n'avait pas coutume d'escamoter les bouquets. D'ordinaire, elle se contentait de les redistribuer.

Méditatif, Malbuse parcourut les allées de son domaine pour s'assurer que toutes les tombes avaient bien été nettoyées par la petite fille. Tel était le cas. En proie à une indicible fureur, écumant, il se jura de l'admonester vigoureusement. Peut-être même la calotterait-il. Cette idée germa dans son esprit lorsqu'il s'avisa, non sans contentement, que son notaire de père n'était plus de ce monde pour la protéger ; quand soudain, au détour d'un caveau familial, il aperçut la sépulture du notaire.

Autour de la dalle de pierre étaient disposées toutes les fleurs du cimetière, rassemblées, serrées, ordonnées. De nouveau blême, Malbuse s'approcha et lut, incisé dans le granit :

CI-GÎT

GASPARD SAUVAGE

dit LE ZÈBRE

1934-1980

Plus bas était gravée l'épitaphe :

IL N Y A PAS D'AUTRE MORT

QUE L'ABSENCE D'AMOUR

Malbuse essuya une larme et, pour n'être pas surpris dans son émotion, s'éloigna en sifflotant.

Il n'était plus question de réprimander Natacha.

Sur son répondeur téléphonique, Camille entendit un message qui manqua de lui faire perdre la raison. Cette voix était bien la sienne, oui, celle de Gaspard. Elle aurait distingué entre mille son timbre voilé, presque rauque, et cette façon qui lui était propre de ponctuer ses phrases pour mieux faire rebondir les mots saillants.

Prisonnière de la bande magnétique, sa voix disait :

« Mon amour, viens demain matin... à dix heures... derrière la cascade, dans la forêt de la Navale... tu y trouveras la preuve que je vis encore. Je t'aime. Je t'aime. »

Ahurie, Camille repassa le message à plusieurs reprises, ne sachant soudain plus quoi penser. Son cœur cognait d'anxiété. Elle était perdue au milieu des interrogations qui se pressaient dans son esprit. Avait-il effectivement rendu l'âme ou son décès était-il une nouvelle feinte ? Il était capable de tout, surtout du plus déconcertant. La plupart des gens morts le sont et ont tendance à le demeurer ; mais avec le Zèbre, Camille avait conscience qu'il lui fallait s'attendre à toutes les surprises. Quelle folie avait-il encore manigancée ? Elle était éreintée par cette comédie de faux-semblants où l'amour véritable se perd. Elle aurait tant voulu, à cet instant, se déprendre de lui ; mais non, il n'était plus de ce monde. On ne divorce pas d'avec un mort, hélas, surtout quand il vous inspire le plus vif attachement.

Dans une grande confusion de sentiments, Camille réécouta la bande : « Mon amour, viens demain matin... tu y trouveras la preuve que je vis encore. Je t'aime Je t'aime. » Sa voix ne provenait pas d'outre-tombe. Elle était pleine d'allant. Nul doute, Gaspard était encore vivant, toujours occupé à respirer, le diable.

Une bouffée de bonheur fit tressaillir Camille. Le brouillard s'estompait ainsi que cette douleur constante qui lui étreignait le crâne depuis les obsèques. Ah, il avait dû se gausser de l'assistance à son propre enterrement ! Elle l'imagina, se faufilant derrière les colonnes de l'église. Ou peut-être s'était-il dissimulé près de l'orgue.

— Le salaud tout de même..., murmura Camille er laissant un sourire se dessiner sur ses lèvres.

Elle s'étira, comme pour mieux se réveiller de ce cauchemar, et descendit dans le jardin respirer l'air du mois d'août. Dieu qu'il faisait beau soudain, malgré les nuages qui pesaient sur l'horizon. Une immense félicité se peignit sur sa figure.

Sur la plus haute branche d'un tilleul, un oiseau chantait la partition de son espèce. Le vent frôlait le visage de Camille et, au loin, une cloche appelait les fidèles au culte. C'était comme si le monde lui avait déclaré la paix.

A dîner, Camille ne souffla mot à leurs enfants de sa découverte. Elle ne voulait pas qu'ils pussent mettre en doute le non-décès du Zèbre. Ils apprendraient la Nouvelle quand leur père franchirait à nouveau le seuil de cette maison.

Le soir, douillettement lovée dans son lit, Camille médita sur ce que pouvait être la preuve évoquée par Gaspard dans son message téléphonique. Viendrait-il lui-même témoigner de la non-interruption de sa vie ou avait-il eu l'idée d'une

justification moins directe ? Impatiente, elle avait cons
cience d'être manipulée par le Zèbre ; mais pour la première
fois, elle se laissait gouverner de son plein gré.

Elle se le figura, apparaissant derrière la cascade. Tendrement, il lui prendrait le bras, puis la main qu'il baiserait du
bout des lèvres avant de l'enlacer.

Une chose tarabustait Camille : comment avait-il pu
simuler son trépas, se faire délivrer un certificat de décès et
obtenir le silence de l'entrepreneur des pompes funèbres ?
Mais elle éluda bien vite ces interrogations. L'important
n'était-il pas que le cœur du Zèbre fût encore en activité ?

Le lendemain, elle s'éveilla dans le bien-être, tout sourire,
radieuse. Elle ne voulait plus douter, plus lutter. Il était
vivant ; et le soleil brillait pour Lui en cette matinée d'août

Camille se leva et, comme dix heures approchaient, partit
en direction de la forêt de la Navale. Sur le chemin, elle
rencontra Alphonse qui s'en retournait du marché. Elle se
garda bien de lui révéler l'objet de sa soi-disant promenade.
Alphonse avait déjà bien du mal à admettre la résurrection
du Christ ; alors celle du Zèbre... Il n'aurait pas ri, oh non, il
était trop affectueux pour se conduire comme un cornichon
avec Camille ; mais il l'aurait prise pour une veuve qui
s'illusionne, histoire de se donner un peu de répit dans le
malheur.

Camille ignorait encore de quelle mission Alphonse était
investi. Dieu qu'il lui avait fallu d'amour pour le Zèbre
lorsqu'il avait juré de se conformer à ses instructions ; car
c'était naturellement Alphonse qui avait glissé la bande
magnétique préenregistrée dans le répondeur téléphonique.
Cette voix qui avait dupé Camille n'était que l'écho de celle
de Gaspard, dont la gorge roidie ne produisait plus aucun
son. Son cancer était mort avec lui.

Le cœur serré, Alphonse regarda Camille s'en aller vers ce

rendez-vous mystérieux. Lui seul savait. Assailli de remords il se demanda pour la millième fois de quel droit il la privait d'un deuil paisible. A présent que le Zèbre n'était plus, que signifiait de prolonger cette comédie ? Mais n'était-ce pas un double crime de briser le rêve d'un amant et de trahir un ami ? Alphonse soupira et considéra à nouveau le dessein formé par le notaire.

Au fond, se dit-il, Gaspard n'était pas un fou mais un écrivain non pratiquant qui avait choisi de composer son existence au lieu de la subir. Aujourd'hui, à six pieds sous terre, il refusait encore le diktat des ténèbres. Il voulait être plus fort que la mort en demeurant l'homme des pensées de sa femme. Alphonse songea avec émotion à l'hélicoptère en bois qu'ils ne feraient jamais voler ensemble ; et il s'éloigna, les mains dans les poches.

Comme Camille arrivait près de la cascade, à l'orée de la forêt de la Navale, des voix captèrent son attention. Elle s'approcha. Ses lèvres étaient sèches.

Derrière la cascade, elle trouva la Tulipe et Natacha, assis sur un rocher. Une lettre de leur père les avait convoqués l'heure dite, avec ordre de ne rien dire à leur mère.

D'abord étonnée, Camille prit conscience en un éclair que leurs enfants étaient la preuve vivante de ce que le Zèbre n'était pas tout à fait mort. Il n'avait pas menti dans son message ; mais elle ne put réprimer un flot de larmes. Il n'en finirait donc jamais de trépasser à ses yeux ; peut-être était-ce justement parce qu'il était réellement en vie dans son cœur. Cette idée la traversa, et bientôt s'imposa à Camille comme une certitude. Oui, il respirait en elle et dans leurs rejetons, tel un fantôme intérieur.

— Maman, ne pleure pas, ça ne lui ferait pas plaisir, murmura Natacha.

Camille exila la Tulipe et Natacha en Bretagne, dans un club de voile, jusqu'à la fin des grandes vacances. Elle avait besoin de solitude ; mais à peine eut-elle bouclé leurs valises qu'une sourde culpabilité commença à la tourmenter. « Mauvaise mère, tu les éloignes alors qu'ils ont besoin de ta chaleur », lui murmurait une conscience marâtre qui, sans indulgence, l'accablait sans relâche. Elle était usée, saturée de douleur, incapable de plus rien donner, ni tendresse, ni attention, ni compassion.

Avant leur départ, Alphonse remit à Natacha et à la Tulipe la lettre testamentaire que leur père leur avait laissée. « Mes chers petits, commençait-il, je meurs de n'avoir pas su tromper votre mère... » Ils s'en furent avec la lettre, sans en dire mot à Camille et sans avoir vraiment saisi de quelle étoffe était faite la sagesse de leur père.

Assez vite, Camille se heurta à des problèmes d'argent. L'apurement des dettes du Zèbre paraissait insurmontable. Brusquement saisie de toutes parts par des créanciers peu concernés par les difficultés d'un veuvage tout neuf, elle ne voyait comment faire pour conserver la Maison des Mirobolants.

L'un des frères du Zèbre, Melchior, accourut in extremis et, grand seigneur endossa la plus grande part du passif de

194

Gaspard. Bouleversée, Camille voulut lui témoigner sa gratitude. Affreusement embarrassé par cette effusion, il coupa court en poussant force rugissements. Dans son emportement, il piqua même une colère.

Melchior avait la folie du Zèbre, doublée d'un tempérament éruptif et généreux. Sa laideur intéressante et la puissance qui émanait de son visage produisaient un effet considérable sur quiconque le rencontrait. Il ne se sentait exister que lorsque son cerveau entrait en ébullition ; ce qui était fréquent. Sa bonté se manifestait toujours comme un flot d'amour à vif. Il haïssait qu'on le remerciât. C'était en quelque sorte un saint défroqué, un aventurier au naturel combustible. Avant d'embrasser la profession de notaire, à l'instar de ses frères, il avait tenté de se faire curé, s'était recyclé dans l'élevage d'alligators en Guyane et, finalement, était revenu s'établir au pays de Rabelais.

Melchior apaisa l'incendie des finances de Camille plus efficacement que le soi-disant trésor des Mirobolants. Rassurée sur ce front, Camille se décida à mettre un peu d'ordre dans les effets personnels du Zèbre.

Deux semaines s'écoulèrent entre sa résolution et le début des rangements. A vivre parmi les affaires de Gaspard qui traînaient çà et là, un paquet de cigarettes sur le linteau de la cheminée, son écharpe sur le dossier d'un fauteuil du salon, il lui semblait qu'il s'était absenté pour pisser dans le jardin ou vider un verre avec Alphonse. Camille redoutait l'instant où il lui faudrait disperser ces petits objets qui sont beaucoup quand tout fout le camp. Elle se retrouverait alors vraiment veuve.

Pour ne pas toucher à sa montre arrêtée, toujours posée sur la table de nuit de son lit de mort, dans la position où il l'avait laissée en appareillant pour l'au-delà, elle se répétait qu'une montre aux aiguilles immobiles donne l'heure exacte deux fois par jour. Tout était bon, alibis et justifications surréalistes, afin de ne rien déplacer, rien qui pût agacer sa douleur.

Mais au bout de quinze jours, Camille se surprit parlant à Gaspard, comme s'il se trouvait dans la pièce contiguë ; elle s'entendit et comprit qu'elle était près de verser dans la démence. Mettre un peu d'ordre dans la Maison des Mirobolants devenait une nécessité.

Les placards furent ouverts et vidés. Camille fit don de ballots de linge à Alphonse qui reçut les effets du Zèbre comme des reliques. Elle conserva les pull-overs imprégnés de son odeur. Bientôt les effluves de son corps les abandonneraient. Elle aurait voulu les extraire et les faire analyser pour connaître les arômes qui les composaient, afin de toujours pouvoir reconstituer le Parfum du Zèbre. Quel plus joli parfum une femme peut-elle porter que celui de la peau de son amant ?

Camille ne bouscula pas le désordre de l'atelier du Pavillon d'Amour. Ce lieu appartenait autant aux mains de la Tulipe qu'à celles de son père. Sa gorge se noua quand elle découvrit au fond d'un placard les pièces à conviction de la passion du Zèbre : des paquets de photos d'elle, des centaines de fragments d'ongles lui ayant appartenu, des boucles de ses cheveux, des bas qu'elle croyait disparus, tout ce qu'il avait pu réunir en secret touchant sa féminité. Il lui avait une fois parlé de ce stock, se souvint-elle, émue devant ces gages de la vénération qu'il avait eue pour elle. Son émotion se dilata encore lorsqu'elle aperçut, posé sur un établi, le moulage en plomb de leurs mains enlacées. Le diable, il avait tout fomenté pour qu'elle ne guérît jamais de leur séparation

Recrue d'affliction, Camille s'imaginait avoir atteint le bout du chemin de croix de leur passion

Un matin, Camille reçut un billet de « l'Inconnu » qui lui causa un grand trouble. L'écriture était bien celle adoptée par Gaspard du temps où il lui envoyait des lettres anonymes. Il lui donnait rendez-vous le lendemain dans la chambre sept de l'hôtel borgne où, deux ans auparavant, elle l'avait cocufié avec lui-même.

Camille sentit une oppressante émotion l'envahir. Le Zèbre avait beau faire mine d'exister sous les traits de l'Inconnu, elle le savait irrémédiablement mort ; ou plutôt elle ne voulait plus en douter. Ne pas se rendre à ce rendez-vous lui aurait épargné un calvaire supplémentaire ; mais elle craignait de manquer le message qu'il tenterait probablement de lui communiquer, Dieu sait par quel moyen, à cette occasion.

Camille se prit de colère d'être ainsi manipulée. En la convoquant ainsi, le Zèbre ne lui laissait guère de choix. Sans vergogne, il profitait de son décès pour l'obliger à se conformer à son dessein. Naturellement, Camille était prête à tout pour obtenir une miette de lui ; et il le savait ; du moins avait-il pu sans mal l'imaginer lorsqu'il était encore vivant.

A l'heure dite, le lendemain, Camille poussait la porte de l'hôtel. Le standing de l'établissement n'avait guère empiré et le patron ruisselait toujours d'une sueur aigrelette.

Camille gravit les marches jusqu'au premier étage en s'appuyant sur la rampe poisseuse. Il lui semblait se fondre avec sa mémoire et monter les escaliers comme dans un souvenir. Le temps aboli estompait soudain la réalité de la mort du Zèbre. Son décès parut à Camille un événement futur, prévisible certes, mais non inéluctable.

Cette sensation de temps retrouvé se dissipa dès que lui parvinrent, dans le couloir, les halètements des clients qui, derrière les portes, bramaient leur plaisir.

Camille se reprit et pénétra dans la fameuse chambre numéro sept. Elle était vide, hormis quelques meubles. Qu'était-elle venue chercher dans cette galère ? Camille s'obligea à conserver une apparence de calme et s'assit sur le lit. Si Gaspard l'avait attirée sur les lieux de leur liaison clandestine, du temps où il portait la double casquette de mari et d'amant, c'était nécessairement pour lui signifier quelque chose.

Trente minutes de silence s'écoulèrent. Les nerfs à vif, elle se mit alors à rire de sa naïveté et à se vilipender d'avoir pu croire qu'un mort pouvait encore agir. Tout à coup des pas retentirent dans le corridor, des pas qui annonçaient un homme seul.

Camille tressaillit et tendit l'oreille. On frappa à la porte. Blême, elle ouvrit la bouche. Aucun son ne voulut sortir de sa gorge. Elle se fit violence et parvint, ô combien difficilement, à articuler le mot « entrez ».

La porte grinça et s'ouvrit. Dans l'embrasure, Il apparut, masqué par la même cagoule utilisée deux ans auparavant, vêtu des mêmes habits amples et ganté pareillement. Déguisé en Inconnu, Il était de retour, là, devant elle.

Camille fut prise d'un vertige, manqua de défaillir et soudain se ressaisit.

— Enlevez votre masque! lança-t-elle.

L'Inconnu recula et, comme elle se levait pour arracher sa cagoule, prit la fuite. Camille le poursuivit jusqu'au bout du couloir et brusquement s'arrêta. Cette démarche, elle la reconnaissait.

— Alphonse..., murmura-t-elle tremblante.

Ce ne pouvait être que lui. Jamais le Zèbre n aurait confié à quelqu'un d'autre une telle mission. Elle le subodorait depuis le début; mais à présent ses soupçons prenaient la couleur de la certitude. Ils étaient donc compères jusque dans la mort.

Ebranlée, Camille quitta l'hôtel en se demandant comment Alphonse, si doux, avait pu accepter de se prêter à une mise en scène aussi cruelle. Elle eut un mouvement de rage contre lui; mais elle n'alla pas le trouver.

Enjoindre à Alphonse de mettre fin à ce manège lui aurait donné le sentiment de tuer Gaspard encore une fois. Elle préférait endurer mille souffrances et voir se dérouler le plan du Zèbre jusqu'à son terme; car si ces manigances la transperçaient de douleur, elles n'en constituaient pas moins des preuves de la survie de leur amour.

Camille était donc prête à tout supporter plutôt que d'avancer le jour où Alphonse cesserait de la tourmenter; et puis, la raison véritable de ce rendez-vous dans la chambre sept demeurait opaque. Elle était pressée d'éclaircir ce mystère.

« Mon amour, que voulais-tu me dire? Quelle sotte ai-je été de te brusquer... » songea-t-elle

Le lendemain, Camille reçut une lettre de Gaspard, postée dans une enveloppe frappée du sigle de leur banque, comme s'il s'était agi d'un relevé bancaire. Etonnée, elle ne saisit pas tout de suite l'idée qui avait poussé le Zèbre à choisir une telle enveloppe.

Elle déplia la lettre et lut :

« Camille,

« tu m'as attendu une demi-heure, hier, dans la chambre sept. As-tu ressenti la ferveur qui naît de l'attente ? As-tu éprouvé la volupté qui naît de l'espérance ? Mon amour, je voudrais que tu ne sois plus qu'impatience et que tu goûtes cette impatience. Je voudrais te convaincre de m'attendre pour m'attendre et non pour me retrouver.

« Aujourd'hui je suis heureux. Tu espères mes lettres comme une amante de seize ans. J'étais invivable, me disais-tu. Essayons d'apprendre à vivre notre passion dans la mort.

« Je t'aime,

« Ton Zèbre. »

La missive qui suivit, une carte postale représentant un ciel nuageux, était glissée dans une enveloppe sur laquelle était imprimé le logotype de leur compagnie d'assurance. Au dos de la carte était écrit :

« Le paradis c'est bien ; mais Rockefeller serait déçu.
« Ton Zèbre. »

Au premier coup d'œil, considérant l'enveloppe, Camille avait songé que son courtier en assurances lui écrivait ; et pour la seconde fois, l'apparence de l'enveloppe l'avait induite en erreur.

Camille ne comprit la raison de ces bizarreries répétées que le lendemain, après que le facteur lui eut remis son courrier du matin. Elle décacheta toutes les lettres avec religiosité, espérant à chaque fois découvrir un mot du Zèbre dissimulé dans une enveloppe d'aspect trompeur. Telle était bien l'intention de Gaspard : la faire palpiter dès qu'elle ouvrirait une facture d'électricité, un pli publicitaire ou un avis d'imposition ! Son projet était de susciter en elle le maximum d'attente.

Deviner les visées du Zèbre procurait à Camille une certaine satisfaction. Il lui semblait alors que leur passion conjugale n'était pas tout à fait liquidée. Aussi ne s'ingénia-t-elle pas à le contrarier, comme par le passé. Elle continua à éplucher son courrier quotidien avec ferveur, en se réjouissant de ce qu'il la manipulât encore. La mort de Gaspard avait eu cet effet de la rendre consentante à ce qui, autrefois, lui eût inspiré un sentiment de révolte. Leur existence commune en était considérablement facilitée.

Camille vécut dans l'expectative plusieurs semaines, guettant le facteur, décachetant fébrilement le flot des lettres de condoléances, polies et encore plus insignifiantes, qui continuaient de lui parvenir. Plus Pénélope que la vraie, elle

201

préparait son cœur, priant pour qu'une lettre de son amant vînt la soulager; quand un matin arriva un colis de taille modeste. Camille l'éventra avec précipitation et trouva une cassette vidéo anonyme.

Le magnétoscope fit surgir le visage de Gaspard sur l'écran de télévision. Il s'était filmé, assis sur un tabouret dans le Pavillon d'Amour, au milieu des machines de sa fabrication. Après un bref préambule, il entra dans le vif de son propos :

— Mon amour, comprends bien que nous avons toujours formé un ménage à trois, toi, la mort et moi. Hier je te regardais comme si chaque jour devait être le dernier. Aujourd'hui les ténèbres sont toujours là, dans notre couple. Rien n'a vraiment changé entre nous.

Le Zèbre poursuivit son étrange monologue en avouant brutalement l'autre raison pour laquelle il s'était épuisé à fomenter des stratagèmes. Il parla de l'ambition qu'il nourrissait en secret depuis son adolescence et du cruel sentiment d'échec qu'il avait éprouvé en s'avisant qu'à quarante-cinq ans, âge auquel la plupart des grandes destinées se dessinent, s'accomplissent ou s'interrompent, il n'était ni Shakespeare, ni Beethoven, ni Gandhi. Gaspard s'expliquait à présent sans fard; le ridicule ne touche plus quand on sert de casse-croûte aux asticots. Alors, plutôt que de se mortifier et, constatant avec désolation que la nature — ingrate, comme chacun sait — ne l'avait pourvu d'aucun talent particulier, il avait formé le dessein de composer leur amour et de faire de leur existence conjugale son chef-d'œuvre, un opéra in vivo, une symphonie permanente, un roman quotidien. A défaut de charmer l'humanité en peignant la Joconde, il se consolerait en créant une œuvre immatérielle qui ressemblerait à la vie, pour les yeux de sa femme.

— Pour tes yeux, répéta-t-il dans le tube cathodique.

Puis il lui annonça que cette apparition serait la dernière. Il ne lui écrirait plus et cesserait de la tourmenter.

— Approche-toi, lui demanda-t-il avec douceur.

Comme hypnotisée, Camille s'avança vers la télévision.

— Embrasse-moi, murmura-t-il.

Sur l'écran, leurs lèvres se joignirent ; puis l'image devint noire.

Le lendemain, Camille s'éveilla avec le sentiment d'avoir rêvé l'épisode de la cassette vidéo. Les traces de rouge à lèvres qui maculaient l'écran de télévision eurent tôt fait de lui prouver la réalité des événements de la veille.

D'ailleurs les prédictions du Zèbre se révélèrent exactes. Camille ne reçut plus rien de lui, sinon une brassée de roses, livrée furtivement par un fleuriste qui ne laissa pas la carte de visite de l'expéditeur. Elle comprit.

Un jour qu'elle partageait le repas de Marie-Louise et d'Alphonse, ce dernier commit un impair qu'il ne sut pas dissimuler, au sujet de sa complicité avec le Zèbre. Trahi par la poignée de mots qui lui avaient échappé, et sous la pression du regard de Camille, il reconnut les faits par un simple « Eh oui », en accompagnant son aveu d'un hausse-ment d'épaules fataliste.

Tout semblait dit, mais Marie-Louise ajouta :

— Les roses, ce n'était pas prévu. C'était une idée à moi ; parce que si j'avais été à votre place, j'aurais aimé qu'Alphonse m'envoie des roses rouges.

Alphonse conclut par « c'était mon ami », en guise de justification ; et l'on n'en parla plus.

Les enfants revinrent de Bretagne avec cette gravité qui ne les quitterait plus, même dans leurs éclats de rire. La Tulipe était devenu boulimique de vie, déjà si Zèbre et pourtant tellement lui-même. Natacha renonça à fréquenter le cimetière de Sancy.

L'école reprit, pour tous. Camille infligea de nouveau ses cours de mathématiques à ses élèves. Plongée dans une sorte d'hébétude nostalgique, elle dérivait sur un fleuve de chagrin, troublé de temps à autre par des remous de révolte contre le Zèbre.

Alors, pour rompre et puis pour passer à travers le miroir sans tain du souvenir, Camille se résolut à coucher sur le papier leur aventure conjugale. Elle divulguerait ainsi l'œuvre immatérielle de Gaspard, comme il l'aurait souhaité. Ce livre devait paraître coûte que coûte.

En faisant tomber leur histoire dans le domaine public, Camille eut l'idée de rédiger un roman-vrai que les amants bagués ou non s'offriraient comme on dit « Mon amour, fais-moi rêver encore », un livre qui donnerait envie de se remarier avec sa femme, de se la prendre à soi-même, un ouvrage qu'on ne pourrait refermer sans entraîner sa moitié ébaubie dans le premier train pour Venise afin de refaire son voyage de noces.

Camille prit la plume, respira et songea que ce récit serait leur dernière lune de miel.

Paris, le 26 avril 1988.

*Composition Bussière
et impression S.E.P.C.
à Saint-Amand (Cher), le 24 mars 1989.
Dépôt légal : mars 1989.
1ᵉʳ dépôt légal : juillet 1988.
Numéro d'imprimeur : 689.*
ISBN 2-07-071392-X./Imprimé en France.

46303